D1072969

Nous remercions le ministère du Patrimoine canadien,
la SODEC et le Conseil des Arts du Canada
de l'aide accordée à notre programme de publication

 Patrimoine   Canadian
canadien   Heritage

 Conseil des Arts   Canada Council
du Canada   for the Arts

ainsi que le gouvernement du Québec
– Programme de crédit d'impôt
pour l'édition de livres
– Gestion SODEC.

Nous reconnaissons l'aide financière
du gouvernement du Canada
par l'entremise du Programme d'aide au développement
de l'industrie de l'édition (PADIÉ) pour ce projet.

Illustration de la couverture :
Jean-Sébastien Lajeunesse

Montage de la couverture :
Ariane Baril

Édition électronique :
Infographie DN

Membre de l'Association nationale des éditeurs de livres

Dépôt légal : 1er trimestre 2010
Bibliothèque nationale du Canada
Bibliothèque nationale du Québec

1234567890 IM 9876543210

Éditions Pierre Tisseyre
ISBN 978-2-89633-161-1
11383

Francis
perdu dans les méandres

COLLECTION
PAPILLON

**Catalogage avant publication
de Bibliothèque et Archives nationales du Québec
et Bibliothèque et Archives Canada**

Roberge, Jean-François

    Francis perdu dans les méandres

    (Collection Papillon ; 167. Roman)
    Pour les jeunes de 9 à 12 ans.

    ISBN 978-2-89633-161-1

    I. Lajeunesse, Jean-Sébastien. II. Titre. Collection :
    Collection Papillon (Éditions Pierre Tisseyre) ; 167.

PS8613.I76T73 2010   jC843'.6   C2010-942596-3
PS9613.I76T73 2010

Francis
perdu dans les méandres

roman

Jean-François Roberge

ÉDITIONS
PIERRE TISSEYRE
w w w . t i s s e y r e . c a

9300, boul. Henri-Bourassa Ouest, bureau 220
Saint-Laurent (Québec) H4S 1L5
Téléphone : 514-335-0777 – Télécopieur : 514-335-6723
Courriel : info@edtisseyre.ca

Remerciements

Merci à Isabelle (la vraie!), Gisèle, Gilles, Michelle, Valérie, Kim, Caroline, Chantale et Geneviève pour leur soutien et leur aide lors de la rédaction. Merci aussi à Mélanie Perreault, directrice littéraire, pour les encouragements constants et les suggestions toujours pertinentes. Si Francis a pu sortir des méandres de mon esprit pour voir le jour dans ce livre, c'est grâce à vous!

Chapitre 1
La fin

Ça allait commencer. Ça achevait. C'était le début de la dernière journée de mon primaire. À l'automne, j'allais amorcer mon secondaire. Selon la rumeur, un nouveau monde m'attendait de l'autre côté de la saison chaude. J'étais, semble-t-il, supposé avoir hâte.

En prenant place derrière mon pupitre de classe, je me sentais bizarrement inconfortable à l'idée de quitter mon école. Contrairement à moi, la plupart de mes amis étaient excités, contents que l'année scolaire soit terminée.

— Cet après-midi, on tombe en vacances, tu te rends compte? m'a chuchoté Thomas sous le regard désapprobateur de notre enseignant.

Pour ma part, je ne raffole pas de cette expression. TOMBER en vacances. Ayoye! Si on tombe de trop haut, on peut se faire mal, non? Comme lorsque je suis tombé amoureux d'Aurélie...

Je ne l'ai jamais avoué à mes amis, mais au fond, l'école, j'ai toujours aimé ça. Évidemment, il y a des moments désagréables: faire l'agenda le lundi matin (trop long); les cours d'anglais (trop faciles); et les tests (quand ils sont difficiles). Mais l'école, c'est quand même le seul endroit où je peux jouer avec tous mes amis en même temps et où je peux suivre des cours de théâtre.

En plus, je ne prendrais jamais le temps de faire de super bricolages d'Halloween ou de Noël tout seul, à la maison.

En arrivant en classe, ce matin, mon attention a été attirée par quelques filles au fond du local, devant la fontaine. Elles pleuraient. Pas moi! Je n'allais certaine-ment pas pleurnicher devant tout le monde!

Pourtant, il est vrai que cette dernière journée avec monsieur Louis, le seul prof masculin de l'école, me rendait mélancolique. Sauf que ce n'était pas de lui que j'allais m'ennuyer le plus, mais de mes amis.

L'été, Thomas a la fâcheuse habitude de passer le plus clair de son temps à son chalet. De son côté, Carlos va soit au camp de jour, soit au camp Abénakis. Quand il part là-bas, c'est l'ennui total pour moi, car je ne le vois pas pour deux semaines complètes, soirs et fins de semaine inclus.

Il ne me reste alors plus qu'à endurer l'omniprésence de mon frère, Alain... Et avec ce Grand Bozo de dix-sept ans, je ne peux jamais savoir à quoi m'attendre.

Quand j'y pense, je lui dois certainement les meilleurs moments de ma vie... Et les pires aussi!

— Tu écoutes Alain, dit toujours ma mère avant de partir pour le travail. C'est lui, le grand. C'est lui qui est responsable.

Heureusement, mon père me comprend davantage et il ajoute parfois son grain de sel:

— Prends soin de Francis, Grand Bozo. Ce n'est pas parce que tu es plus vieux que «Cis» que tu as le droit d'exagérer. On se voit au souper. Bye. Je vous aime, les gars!

Tout le monde s'est levé dans la classe. Pourquoi? La récré, déjà? L'heure de la récréation était venue et je n'avais évidemment pas entendu la cloche. Elle filait à toute allure, cette dernière journée.

En marchant dans les corridors, j'ai pris conscience que je n'avais aucune idée de ce qui s'était passé en classe depuis huit heures quinze. Je devais être dans la lune, comme d'habitude.

Dehors, mes amis s'installaient déjà pour une bonne partie de ballon-chasseur. Peut-être ma dernière dans cette cour d'école. Est-ce qu'il y aurait des tournois de ballon-chasseur au secondaire? Probablement pas, alors autant en profiter pour se défoncer et écraser l'équipe adverse, les *Schtroumpfs écarlates*.

Après une dizaine de minutes à éliminer les joueurs de l'autre équipe, c'était dans la poche!

Hyper concentré, j'ai lancé le ballon bleu dans les jambes du seul Schtroumpf encore au jeu, qui n'a pu l'attraper à cause de mon célèbre effet de rotation.

— Fallait que tu nous battes une dernière fois, hein, Francis? m'a apostrophé Loïc en souriant. Je ne sais pas comment tu réussis à faire tourner le ballon aussi vite en l'envoyant de toutes tes forces. Tu me donnes ton truc cet après-midi? Tu peux me le révéler sans risque parce que je déménage cet été. Aucun danger que je me serve de ton célèbre «coup du tourbillon» contre toi!

— D'accord, rendez-vous à quatorze heures, à la récré de l'après-midi. Je vais t'attendre au fond de la cour... Mais tu viens seul!

La cloche a mis un terme à notre conversation ultrasecrète et nous sommes rentrés pour la suite de cette mémorable dernière journée de classe.

De retour derrière mon pupitre, je me suis mis à rêvasser. Je repensais à notre victoire lors de la finale du tournoi des 6e année et...

— Francis? Francis? FRANCIS!

C'était monsieur Louis, mon prof, qui essayait de me sortir de ma torpeur en me fixant avec ses yeux gros comme des pièces de deux dollars.

Et là, quelque chose de bizarre s'est produit. C'était comme si quelqu'un

13

d'autre avait pris le contrôle de ma voix, de mon être tout entier. J'ai regardé monsieur Louis et je lui ai répondu avec aplomb :

— Quoi ? Quoi ? QUOI ! J'ai manqué quelque chose ? Ça me surprendrait. J'ai été distrait, perdu dans mes pensées toute l'année. Ça ne m'a pas empêché d'avoir à peu près les meilleures notes de la classe. Là, c'est la fin de l'année, le dernier jour. Je ne sais pas de quoi vous placotez, mais je suis sûr que ce n'est pas très important. Vous voudriez que je sois hyper attentif ? Désolé. Moi, j'aime mieux être dans la lune, c'est tout !

Silence complet dans la classe. Avais-je bien dit cela ? Tout le monde me dévisageait. Moi-même, j'avais l'impression d'être sorti de mon corps et d'observer la scène de loin.

Je n'étais pas certain de bien connaître le garçon qui venait juste de parler... Ni de l'aimer, d'ailleurs !

Pas un bruit ne perturbait la quiétude surnaturelle de la classe. On aurait entendu une mouche voler, mais la tension était telle qu'aucune d'elles n'osait bouger.

Monsieur Louis était très bon dans les silences. Il les utilisait souvent pour nous faire comprendre quelque chose ou pour nous chicaner quand on exagérait. C'est particulier, mais avec lui, ça fonctionnait à merveille.

Moi, je suis pas mal moins bon que lui dans les silences. Ils m'ont toujours mis mal à l'aise. Alors, même si j'avais déjà été trop loin, j'en ai ajouté :

— Je veux dire... Euh... Je m'excuse. Mais c'est quand même la fin de l'année. De quoi vous parliez, au juste ?

— Ha ! Ha ! Ha !

Monsieur Louis avait le fou rire ! J'essayais d'analyser la situation, mais en vain. Je ne comprenais absolument rien à rien...

— Attention, tout le monde ! Francis, ici présent, celui que vous appelez affectueusement « Cis » ou « Le 6 », eh bien, il vient de commencer son adolescence sous vos yeux. Et c'est moi qui l'ai reçue en plein visage ! Les hormones viennent de s'infiltrer dans ton corps, cher Francis ! Comme je vous l'ai expliqué en classe, l'adolescence n'affecte pas seulement le corps – les poils, les seins, la voix –, elle va aussi vous faire passer par toutes sortes d'émotions.

Il a alors lancé un regard complice à Alex, puis à Stéphanie et à d'autres élèves.

Tout le monde s'est retourné, s'est regardé, s'est étudié. Quelques filles ont rougi en penchant la tête, gênées.

Plus que jamais, je comprenais de quoi il était question. Et je me suis senti concerné. Enfin! Je me suis souvenu de quelques moments de malaise survenus cette année-là. Ces moments où je ne me sentais pas à ma place dans cette classe parce que je ne savais pas pourquoi d'autres élèves riaient des commentaires de monsieur Louis. J'y repensais alors ET JE COMPRENAIS TOUT!

À cet instant, j'ai eu l'envie folle de refaire l'année au complet. Juste pour pouvoir écouter monsieur Louis avec mes oreilles qui saisissent les nuances et lire son regard avec mes yeux qui voient l'invisible.

Ceux de mon enseignant sont justement revenus sur moi. Il m'a fait un clin d'œil.

— Ton impolitesse est pardonnée, Francis. Par contre, je suis bien content que tu n'aies pas osé me parler de cette façon-là avant aujourd'hui. Ça fait peur!

Il a fait mine d'être effrayé et il a recommencé à rire sans retenue.

Après cet épisode, je n'ai aucun souvenir de ce qui s'est déroulé en classe. Comme frappé par un bâton de baseball, j'ai perdu conscience du temps qui s'écoulait.

J'étais tellement sonné que j'en ai oublié mon rendez-vous secret avec mon ami. Pauvre Loïc, il a dû se débrouiller tout seul pour percer le mystère de mon « coup du tourbillon » !

En revenant de l'école, je suis allé m'étendre sur mon lit pour prendre la mesure de ce qui m'était arrivé. Pour la première fois, j'ai réfléchi aux infinies possibilités que m'offraient les vacances qui débutaient.

Chapitre 2
L'orage

Les vacances ont plutôt bien commencé. Thomas m'a invité à passer une semaine au chalet. C'était super ! Aussitôt arrivés, son père nous a amenés faire du canot sur le lac. Il tenait à nous montrer comment manœuvrer l'embarcation comme il faut. Ça nous a sauvé la vie[1]!

Le troisième jour, Thomas et moi, nous avons décidé de traverser le lac.

Thomas m'avait promis que nous aurions de bonnes chances de voir de jolies filles en maillot si nous nous

---

1. Ce n'est pas une blague ! Ce cours de canot m'a sauvé la vie, et plus d'une fois à part ça ! Si tu veux vivre longtemps et bien comprendre mes aventures, va faire un tour dans la section canotage 101, à la fin du livre à la page 155. Mais reviens vite ici pour continuer ta lecture.

rendions à la plage municipale. Il n'en fallait pas plus pour me convaincre. Une traversée de quatre kilomètres nous attendait.

Décidément, monsieur Louis avait raison d'affirmer que j'avais changé, car à peine six mois auparavant, je n'aurais même pas levé les yeux pour regarder la plus belle des filles en bikini. Les filles, elles pouvaient porter, faire ou raconter ce qu'elles voulaient, je m'en foutais carrément. Là, c'était un peu différent. J'étais plus curieux, disons...

Nous avons donc traversé le lac Kasmaya. Ça allait super bien. Je nous trouvais très habiles d'aller aussi vite. Je me disais que nous avions le vent dans les voiles. Je n'avais pas conscience que nous avions le vent dans le dos et que les voiles, c'était nous.

De l'autre côté, nous avons jugé la plage plutôt décevante. Il n'y avait pas beaucoup de vacanciers. Nous avons quand même pris le temps de débarquer du canot pour nous dégourdir les jambes et aller « zieuter » de plus près. Pas grand-chose à voir, à part la (très) belle fille qui surveillait les baigneurs à travers ses lunettes noires du haut de sa chaise.

Pas de danger que nous impressionnions une sauveteuse. Surtout qu'elle devait bien avoir dix-huit ans et que trois ados rôdaient déjà autour de cette déesse de la plage.

— Pas grave, a lancé Thomas. On s'en retourne. On reviendra demain. Il y aura peut-être plus de monde s'il y a moins de nuages et de vent.

Le vent. Je l'avais oublié, celui-là. Il devenait de plus en plus fort, mais nous ne le ressentions presque pas quand nous l'avions dans le dos. Sauf que maintenant, la réalité (et des millions de grains de sable) nous sautait en pleine face : un orage se préparait et le vent, déjà violent, se levait encore. Nous apercevions même des vagues se briser au loin.

Il y avait comme des moutons blancs qui gambadaient à toute vitesse sur l'eau... et pas l'ombre d'un berger pour les calmer !

Le doute m'a envahi.

— On ne sera jamais capables de ramer jusqu'au chalet.

— Pagayer, pas ramer, m'a corrigé mon ami. Souviens-toi de ce que mon père a dit.

— Merci, vieux, mais tu peux laisser faire la leçon de vocabulaire màritime, ok? Qu'on rame ou qu'on pagaie, ça ne changera rien. Il me semble que c'est un moteur que ça nous prendrait!

— Ne t'en fais pas. J'ai déjà vu le lac plus fâché que ça. On a un vent de face. C'est plus facile de diriger le canot dans ce temps-là. Si le vent et les vagues étaient de travers, je ne sais pas... Mais là, tout ce que ça prend, c'est des bras solides pour faire de bonnes propulsions. Embarque. N'attends pas qu'Éole se choque pour vrai. Ha! Ha! Ha!

Éole, c'est le dieu grec du vent, m'a-t-il expliqué plus tard. Thomas était un vrai passionné de la mythologie grecque ancienne et il ne manquait jamais l'occasion de citer une légende ou d'invoquer un dieu imaginaire. À part ça, il était plutôt normal.

Quand nous nous sommes élancés sur le plan d'eau, ça allait assez bien. Nous avons réussi à gagner le milieu du lac rapidement. Comme j'étais à l'arrière du canot, c'est moi qui dirigeais. C'était relativement facile, car nous avions le nez dans le vent et je n'avais pas à faire trop de coups en J ou de coups semi-circulaires pour garder le cap.

Thomas, lui, n'avait qu'à pagayer de toutes ses forces. Ses propulsions sont plus puissantes que les miennes, alors c'était normal qu'il se retrouve dans le rôle du moteur.

Je n'aurais jamais pensé qu'il puisse y avoir des vagues aussi grosses sur un lac. Elles étaient plus hautes que le canot et Thomas était trempé à force de recevoir des embruns.

Alors que nous avions franchi les trois quarts du lac et que mes bras me faisaient souffrir à un point que je ne croyais pas possible, mon coéquipier s'est retourné vers moi, le regard affolé.

— On... d'eau... ope... vite!

Le vent et le bruit des vagues couvraient sa voix et je ne prêtais guère attention à ce qu'il marmonnait. Je pagayais sans cesse, comme un robot aux fonctions limitées. Alors Thomas s'est tourné vers moi et ses yeux ont changé d'expression. J'y ai vu la panique, la peur de mourir. Il a crié plus fort:

— On... oule... coule... trop d'eau... écope... merde!

Comme si j'étais uniquement pro-grammé pour pagayer, je n'ai pas réagi tout de suite. J'étais en train de décoder son message quand il s'est mis à hurler.

— Grouille, on coule!

Je suis enfin sorti de ma torpeur et j'ai regardé dans le canot. Il était presque rempli d'eau. Certaines vagues déferlaient carrément par-dessus les plats-bords et faisaient tanguer dange-reusement l'embarcation.

J'ai balancé ma pagaie dans le canot et j'ai empoigné l'écope, un petit contenant qui sert à vider l'eau qui s'accumule.

Ce n'était pas très efficace, vu la quantité d'eau, mais graduellement, j'ai réussi à faire baisser le niveau. Sauf qu'à ce moment-là, une grosse vague nous a surpris en nous frappant sur le côté. Nous sommes passés à un cheveu de dessaler.

J'ai alors pris conscience que si l'embarcation se renversait, il nous faudrait affronter l'orage menaçant dans l'eau, submergés par des vagues qui nous passeraient au-dessus de la tête... De toute évidence, il fallait à tout prix éviter cette situation!

Je me suis demandé comment il se faisait que les vagues nous frappaient maintenant sur le flanc.

En fait, pendant que j'essayais de vider le canot, Thomas continuait de pagayer sans relâche, toujours du même côté. Il avait oublié qu'il n'y avait plus personne pour barrer et diriger l'embarcation! Voilà pourquoi cette vague infernale nous a pris de travers.

Quand j'ai compris, je lui ai renvoyé l'écope.

— Toi, tu vides le canot et tu demandes à ton dieu du vent de se calmer les nerfs. Moi, je nous ramène à la maison!

Mes yeux devaient lancer des éclairs, car Thomas a obéi comme si Zeus, le chef des dieux lui-même, avait menacé de le foudroyer. Il était effrayé, mais efficace...

Pour ma part, j'ai laissé mes crampes de côté et j'ai effectué un appel puissant qui a fait pivoter le canot dans le bon sens. Ensuite, je me suis mis à pagayer si fort que nous sommes arrivés au chalet en dix minutes à peine, top chrono!

Malgré la pluie forte qui avait commencé, le père de Thomas nous attendait sur le quai, les jumelles vissées sur les yeux et le visage blanc comme un cadavre.

Il était content de nous voir en un seul morceau, mais furieux que nous ayons décidé d'affronter l'orage. Il nous a engueulés si fort qu'il en a eu la voix enrouée pour le reste des vacances.

Pendant qu'il nous réprimandait, j'ai rapidement cessé de l'entendre, perdu dans mes réflexions. Je n'en revenais pas de ce que je venais d'accomplir. Bien sûr, je me trouvais un peu stupide d'avoir écouté mon ami et de m'être aventuré sur un lac déchaîné... Sauf que mon sentiment de fierté était bien plus fort que mon regret, ma honte et ma peur combinés !

Je ne m'étais jamais retrouvé dans une situation vraiment dangereuse auparavant. Mes parents, mes enseignants, mes gardiennes, tout le monde s'était tellement bien occupé de moi que je n'avais jamais eu à me dépasser.

Alors que le père de Thomas achevait son sermon en serrant son fils dans ses bras, je me percevais comme un super héros. Je me sentais plus fort que moi-même. Drôle de sensation.

En plus, je venais de découvrir que comme mon frère, j'étais capable d'avoir du leadership. Je n'étais pas forcément un matelot qui obéit aux ordres, je pouvais être un capitaine !

J'ai aussi compris que lorsqu'on se croit épuisé et que notre corps nous supplie avec une petite voix qui fait pitié : « Il faut arrêter, je ne suis plus capable », c'est de la frime ! Il suffit de l'ignorer pour puiser au fond de soi. Une réserve d'énergie supplémentaire s'y trouve cachée. Un genre de réservoir de secours.

Ces révélations me fascinaient. Ajoutées au discours de monsieur Louis sur mon adolescence, elles m'ont ébranlé sérieusement. On aurait dit que tout changeait trop vite.

○

Après notre aventure sur le lac, nous nous sommes tenus pas mal tranquilles. Nous avons passé le reste de la semaine à pêcher la perchaude au bout du quai et à jouer au Monopoly sur la terrasse.

Il faut dire que les parents de mon ami étaient pas mal sur les nerfs. Aussitôt que nous sortions du chalet, ils nous interpellaient.

— Où allez-vous? Vous ne vous éloignez pas, hein? Mettez donc vos vestes de sauvetage. Ne touchez surtout pas au VTT ou au canot.

Ils s'inquiétaient pour rien, parce que Thomas n'avait absolument pas l'intention de retourner sur le lac. Il était traumatisé, le pauvre.

— On aurait pu se noyer, Francis. On aurait pu mourir!

Moi, je voyais les choses autrement. Si vous voulez mon avis, cette semaine au chalet fut probablement la plus belle de ma vie. Jusque-là.

Chapitre 3

Les manigances
du Grand Bozo

C'était le calme plat. Le calme «plate», en fait. Après mon effronterie du dernier jour de classe et mon exploit au chalet de Thomas, je croyais que ma vie ne serait plus jamais comme avant. Dans ma tête, j'étais devenu un gars génial qui vivait des aventures sensationnelles les unes après les autres, sans s'arrêter. Erreur.

J'avais tout faux. Même que quand je lui ai raconté mes prouesses sur le lac, mon frère n'a pas semblé impressionné du tout.

— Sur un lac? Tu te prétends un grand canoteur parce que tu as appris à faire des appels et des coups en J sur un lac? Voyons donc, Le 6! Un canot, c'est fait pour les rivières. Les coups que tu me décris là sont conçus pour manœuvrer dans les courants, pour éviter les seuils, les chutes, les roches. Sur un lac, ça ne sert à rien.

Là, il commençait à m'énerver. Et sérieusement!

— Attends, Alain, tu ne me laisses pas parler. Ce que j'allais dire, c'est qu'après le cours de Claude, j'ai vraiment failli me noyer. C'est mon agilité, mon appel qui...

Exaspéré, mon frère ne m'a même pas donné la chance de terminer ma phrase.

— Qu'est-ce qui peut bien arriver sur un lac? Ah, je sais! Écoutez, tout le monde, Francis a survécu à une attaque du monstre du Loch Ness. Le terrible monstre était en vacances au Québec avec sa copine et comme ils voulaient faire un petit pique-nique, ils se sont jetés sur le premier canot qui...

— Ah, laisse donc faire! Tu es vraiment borné quand tu veux! Moi, je te dis que je sais manœuvrer un canot. Demande à Thomas, il va te confirmer que je nous ai vraiment sauvés d'une noyade assurée. Je te gage même que je suis devenu meilleur que toi...

Là, je suis allé trop loin. Découragé, mon frère a levé les yeux au ciel et il est parti sans attendre la fin de l'histoire.

Il faut dire que j'avais nettement exagéré. Mon Grand Bozo de frère me tape sur les nerfs et il me fait souvent comprendre que je suis de trop quand il est avec ses amis, mais je ne peux pas dire qu'il ne sait pas faire du canot...

Il vient de finir sa première année de cégep. Son cours préféré a été l'initiation au canotage de rivière. En revenant de son stage, il m'a montré quelques photos. C'était incroyable! On le voyait en train de descendre une rivière en furie. Sur un des clichés, il y avait tellement de courant, de vagues et de remous que la rivière était blanche d'écume. Je n'aurais jamais cru possible qu'un canot puisse passer là sans chavirer si je n'avais pas eu la photo sous les yeux. Et Alain manœuvrait bel et bien au milieu de ces vagues, avec son professeur.

— Cette portion de la rivière était trop difficile et dangereuse pour les autres élèves... Mon prof m'a invité à la descendre avec lui car j'étais le meilleur de la classe, m'a-t-il expliqué fièrement.

J'étais bien obligé de le croire. Il est excellent dans TOUS les sports, le sacripant! Capitaine de son équipe de hockey, imbattable au tennis et membre du club élite junior des cyclistes du Québec. Il est dur à suivre...

Moi, ma force, c'est le ballon-chasseur. Pas de quoi me vanter ou obtenir une bourse d'études, disons. Il n'y a pas de ligue nationale de ballon-chasseur, pas de championnat mondial non plus...

○

Quelques jours plus tard, Grand Bozo m'a posé une question étrange. Tout de suite après que mes parents soient partis travailler en nous faisant les recommandations habituelles, il s'est tourné vers moi.

— Une semaine chez grand-papa Beaulieu, ça te tente?

— Heu... Pourquoi? lui ai-je répondu, méfiant.

Son attitude, son sourire forcé, son ton de voix, tout le trahissait. Il avait quelque chose à cacher, j'en étais sûr. Pourquoi voulait-il soudainement que nous allions en vacances chez grand-père?

— Quand je lui ai demandé s'il était d'accord pour que tu ailles passer du temps chez lui, à Drummondville, il était super content!

Alors là, il y allait vraiment trop fort! C'est à ce moment que j'ai compris.

— Tu veux que j'aille me tourner les pouces une semaine là-bas? Et toi, tu ne viens pas? Tu mijotes quelque chose, Grand Bozo! Pourquoi tiens-tu à te débarrasser de moi pendant une semaine?

Car c'était bien son intention. Il ne voulait pas de moi dans ses pattes. Et comme il était responsable de moi à longueur de journée quand mes parents travaillaient et qu'il n'y avait pas d'école, il avait trouvé quelqu'un d'autre pour me «garder».

Grand-père Beaulieu est super fin, je l'aime beaucoup. Sauf que tout seul avec lui pendant sept journées entières, j'allais m'ennuyer, c'est certain.

À part ça, à douze ans, je suis capable de me garder moi-même!

— C'est louche, ton affaire. Si tu veux m'éloigner de la maison tout ce temps-là, c'est sûrement que tu prépares un mauvais coup !

— Non, non, frérot...

Il s'est mis à bafouiller. Mes yeux lui lançaient des éclairs foudroyants.

— Je n'ai pas du tout... Enfin... Écoute, Le 6, c'est juste que j'ai planifié quelque chose avec Pier-Luc. Du camping. Je n'en ai pas encore parlé à papa ou à maman. Je devine bien qu'ils vont me dire que je ne peux pas te laisser seul à la maison longtemps. Pour que ça marche, je veux tout régler à l'avance. Comme ça, ils n'auront plus qu'à donner leur accord.

Comme je demeurais silencieux, il a continué.

— Je me suis dit que tout serait parfait, tu comprends ? Toi, tu passerais du bon temps avec grand-papa et moi, je pourrais faire mon expédition. Les parents vont être rassurés et tout le monde va être content, non ? Tu vois bien que ce n'est pas un mauvais coup que je prépare.

Mon frère est habitué à réussir tout ce qu'il entreprend. Dans son esprit, rien n'allait l'empêcher de réaliser son plan. Il suffisait que j'accepte pour que la question soit réglée.

Mes parents n'ont pas vu les choses du même œil... Quand je leur ai annoncé qu'Alain avait déjà obtenu l'approbation de mon grand-père, ma mère a mis fin à ses espoirs d'un seul coup.

— Francis, je t'annonce que tu pars faire du camping! Alain, où que tu ailles, Francis y va aussi, c'est tout. Ton père et moi, on aurait probablement accepté l'idée si tu nous en avais parlé avant, sauf que tu as voulu nous manipuler. Et ça, c'était une très mauvaise idée!

Déboussolé, mon frère a tenté une dernière tactique.

— J'ai seulement voulu être prévoyant...

— Oublie ça, Bozo. Vous y allez ensemble ou vous restez tous les deux ici, a conclu mon père d'un ton autoritaire.

Du haut de ses dix-sept ans, mon frère a quand même trouvé l'audace d'en rajouter:

— Voyons, papa, je ne peux pas amener Francis là-bas. Ce n'est pas du camping ordinaire qu'on s'en va faire, c'est du canot-camping. Pier-Luc vient avec Isabelle, et moi, je fais équipe avec Maude. On doit y aller à deux canots.

— Ce n'est pas grave, Francis sera avec vous dans le canot.

Alain s'est tourné vers moi en me jetant un regard condescendant.

— Quand on fait du canot de rivière, ce n'est pas comme sur un lac! On doit être deux par embarcation pour manœuvrer comme il faut...

Puis, ses yeux se sont illuminés, comme s'il avait eu une idée géniale.

— À moins que tu nages à côté du canot, Francis? C'est ça, on l'a, la solution!

J'aurais voulu l'étriper. Je me suis mis à crier:

— Va donc te noyer dans tes rapides, maudit Bozo! Tu inventerais n'importe quoi pour être tout seul avec ta blonde.

J'ai fait quelques pas vers ma chambre avant de me retourner pour lâcher le morceau:

— De toute façon, je ne suis plus un bébé! J'ai douze ans, je m'en vais au secondaire. À cet âge-là, Alain me gardait, alors je ne vois pas pourquoi je ne pourrais pas me garder tout seul... Et puis, en passant, il n'est pas question que je m'exile à Drummondville!

J'ai couru jusque dans ma chambre et je m'y suis enfermé pour le reste de la soirée.

D'habitude, quand je me chicane avec Alain, ça finit chacun dans sa chambre. Ensuite, mon père ou ma mère vient nous voir l'un après l'autre jusqu'à ce que nous soyons calmés et que nous puissions nous parler. Ils appellent ça faire de la médiation fraternelle. Sauf que cette fois-là, ça s'est passé bien différemment.

○

Le lendemain, je me suis réveillé dans une drôle de position. J'étais couché sur mon lit, tout habillé mais pas abrié. Je m'étais endormi en attendant la visite de mon père. Il n'est pas venu. Bizarre.

En plus, j'ai dormi tellement tard que tout le monde était parti quand je me suis rendu dans la cuisine pour déjeuner.

On m'avait laissé un message sur la table.

Salut fiston,

Comme ça, tu veux te garder tout seul ?
Bon, ok, mais tu dois suivre les règles que
voici :
— Où que tu sois, tu appelleras ta mère
au dîner, à midi quinze.
— Tu ne peux pas inviter d'amis à la
maison si ton frère n'y est pas.
— Tu dois être à la maison à dix-sept
heures pour aider Alain à préparer le
souper.
Tu es maintenant un grand gars
responsable.
On te fait confiance.
Bonne liberté !
Bonne journée !

Papa xx
Maman xxx ooo

Ayoye ! Qu'est-ce que j'allais faire de ma journée ? Aucune idée. Et mon frère ? Lui aussi, il devait se sentir libre... Où pouvait-il être ?

Je me suis dit que je penserais à tout ça en mangeant mon déjeuner.

Une autre surprise me guettait. En vidant mes Croc-Pop aux guimauves dans mon bol de lait, une enveloppe est tombée de la boîte. Plouf! Pas une enveloppe de concours ou un petit collant de superhéros, une enveloppe blanche, ordinaire.

Je l'ai prise et j'en ai sorti une feuille un peu mouillée.

Hey, frérot!

Je savais bien que la première chose que tu ferais en te levant serait de te jeter sur tes céréales chimiques et multicolores. C'est comme ça chaque matin, alors...

Hier soir, j'ai jasé avec papa très, très longtemps. Jusqu'à minuit, en fait.

Il n'était vraiment pas content de mes petites manigances. Moi qui pensais éviter des problèmes à tout le monde en planifiant tout à l'avance, je me suis mis dans le trouble!

En tout cas... On a trouvé que ce que tu as dit à propos du gardiennage, ça a de l'allure. À douze ans, tu n'es

peut-être plus un ti-cul, après tout.
Ha! Ha! Ha! Ne te fâche pas,
Le 6, c'est une blague.

Finalement, j'ai changé d'idée. J'accepte
de t'amener à mon expédition de
canot-camping, si ça te tente, bien sûr.
Tu dis que tu sais pagayer... On va
voir!

Je suis allé annoncer à Maude, Pier-Luc
et Isabelle qu'on va probablement
avoir un passager clandestin.

Nous partons dans deux jours. Tu fais
tes bagages, frérot?

Bozo

Chapitre 4

C'est un départ!

Cinq heures du matin, c'est tôt pour lever les voiles, peu importe la destination.

— On a six ou sept heures d'auto à faire avant d'arriver au point de mise à l'eau, m'avait expliqué mon frère pour justifier ce réveil en pleine nuit. Si on veut se rendre au premier campement avant que la noirceur nous tombe dessus, il faut s'engager sur le lac à midi, au plus tard. Je te réveillerai à quatre heures trente et à cinq heures, c'est un départ!

Avais-je seulement le choix? Pas vraiment et ça m'agaçait un peu. Soit je restais seul à la maison et je me tapais toutes les tâches ménagères (entretien

41

de la piscine, gazon, poubelles, recyclage, ménage et repas du soir), soit je vivais l'aventure de cette excitante expédition et j'acceptais de retomber sous la supervision d'Alain...

La tête encore dans la brume, j'ai donc pris place dans l'auto de Pier-Luc. Il faisait encore nuit et j'avais froid à cause de l'humidité accumulée dans les tapis et les bancs crasseux de sa vieille Honda Civic toute rouillée.

Assis sur la banquette arrière et secoués par la suspension fatiguée du tacot, nous étions entassés comme des sardines. C'est que j'étais installé entre Maude, la copine de mon frère, et Isabelle, la demi-sœur de Pier-Luc. Disons que certaines sardines sont plus agréables à regarder que d'autres...

Maude avait dix-sept ans, comme mon frère. Je la connaissais très bien, car elle était souvent venue souper à la maison au cours de l'année précédente. Comme mon frère, c'est une véritable athlète. Une grande brunette aux longs cheveux bouclés. Et même si elle n'est pas vraiment mon genre, je peux dire qu'elle est assez jolie, surtout à cause de ses grands yeux verts. Je l'aime bien parce qu'elle ne me traite jamais comme un bébé.

Isabelle était complètement différente. Même si elle avait quatorze ans, elle était toute petite et délicate. Je ne la connaissais que depuis deux mois puisque sa mère venait juste d'emménager avec mon oncle, le père de Pier-Luc. C'était seulement la troisième fois que je la voyais... et la première fois que je la voyais d'aussi proche.

— Comme ça, tu as décidé d'apprendre à faire du canot, Francis ? m'a lancé Isabelle pour briser le silence. Moi, ma famille est folle du camping, alors j'en ai fait neuf ou dix fois, déjà.

— Le 6, Isabelle. Appelle-le donc Le 6, comme tout le monde ! a crié Pier-Luc par-dessus son épaule pour couvrir la musique trop forte qui nous vrillait les oreilles.

Elle m'a regardé avec des points d'interrogation au fond des yeux. Avant qu'elle ne me pose la question, je lui ai expliqué.

— Ma mère aime bien les surnoms et les diminutifs. C'est elle qui a baptisé Alain « Bozo », parce qu'il fait toujours le clown. Dans mon cas, elle devait manquer d'inspiration, car elle a simplement repris la dernière syllabe de mon nom. Il paraît que quand j'étais bébé, elle me surnommait Frank, mais que ça lui faisait trop penser à Frankenstein! Finalement, elle a opté pour Cis. Au fil des ans, Cis est devenu Le 6.

— Bizarre, m'a répondu Isabelle.

Puis elle s'est tue, absorbée par ses réflexions. Elle me fixait de ses grands yeux bleus, comme si je lui avais révélé un grand mystère. Soudainement, j'ai réalisé que nous étions collés l'un sur l'autre, les yeux dans les yeux.

La dernière fois que j'avais vu une fille d'aussi proche, c'était quand j'ai embrassé Aurélie, ma première vraie blonde. Le moins qu'on puisse dire, c'est qu'elle n'était pas gênée, celle-là!

Pendant la semaine de relâche, Carlos avait invité plusieurs amis à venir regarder des films chez lui. Aurélie, avec qui je sortais depuis à peine vingt-quatre heures, s'est installée à côté de moi sur le divan du sous-sol. Nous étions formellement un couple, étant donné que j'avais coché « oui » sur la feuille que m'avait passée sa meilleure amie.

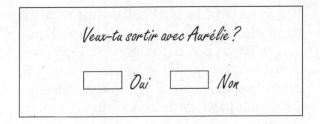

Veux-tu sortir avec Aurélie ?

☐ *Oui*   ☐ *Non*

Elle a rapidement planté ses yeux noisette dans les miens, puis elle a passé ses bras autour de mon cou avant de me lancer sur un ton de défi :

— Alors, tu ne m'embrasses pas ?

Comme elle m'a refait le coup plusieurs fois cet après-midi-là, je suppose que je n'ai pas dû être trop mauvais. Même que les fois suivantes, je ne lui laissais pas le temps de demander le baiser. Quand elle se tournait vers moi et me prenait dans ses bras, je m'avançais. Je me trouvais pas mal bon d'avoir autant d'initiative !

Une semaine plus tard, sa meilleure amie venait me voir pour m'annoncer qu'Aurélie mettait fin à notre relation.

— Pourquoi ? lui avais-je demandé.

— Elle dit qu'elle ne t'aime plus comme avant. Elle me demande de te transmettre un message : elle veut être juste ton amie. Qu'est-ce que tu lui réponds?

— Wow! Elle m'aimait! Ça, c'est vraiment super! Euh, je veux dire que je suis désolé. Bien oui, c'est dommage, on venait juste de se rencontrer... Euh... Salut!

Plutôt embarrassé, j'avais fui chez moi pour pouvoir repenser à tout ça. La rupture me faisait un peu mal, mais je n'étais pas dévasté par la nouvelle. L'important pour moi était d'avoir cassé la glace. J'avais embrassé une fille et c'était une bonne chose de faite!

N'empêche que c'était étrange... Avant de rompre, Aurélie ne m'avait jamais révélé qu'elle m'aimait. Je n'avais pas l'intention de lui faire une déclaration officielle moi non plus, de toute façon!

Cependant, après cette première expérience, je me sentais un peu plus mature. Je me jugeais même prêt à tomber amoureux pour vrai.

Et voilà que je me retrouvais devant Isabelle, qui me fixait toujours aussi intensément.

— Francis? Le 6? Tu es dans la lune ou quoi? Ça fait deux minutes que tu me regardes sans bouger.

Sortant de mes souvenirs, j'ai senti qu'elle avait pris mes mains dans les siennes. Je les ai retirées en bafouillant :

— Ouais, bon... on parlait de quoi, là ?

Elle a lâché mes mains en pouffant de rire, l'air soulagé.

— Pier-Luc, tu m'as raconté plein de choses sur Le 6, mais tu ne m'avais pas mentionné qu'il était lunatique à l'extrême !

Se joignant à la conversation, mon frère a cru bon de raconter la fois où j'avais été tellement distrait que j'avais mis de l'engrais à gazon dans la piscine familiale, avant de vaporiser de l'algicide sur la pelouse... L'herbe a jauni, la piscine a tourné au vert et mon père est devenu rouge de rage !

Voyant que ce souvenir me mettait dans l'embarras, Maude est venue à mon secours en changeant de sujet :

— Ton frère m'a appris que tu as suivi des cours de canot, la semaine passée. Il paraît que tu as failli te noyer, mais je me demande bien comment...

Comme je me souvenais de ma récente conversation avec mon frère à ce sujet, je n'ai pas pris de risque. Je ne l'ai pas laissé terminer sa phrase.

— Tu te demandes comment on peut être assez mauvais canoteur pour frôler la noyade avec une veste de sauvetage… dans un lac en plus, hein?

— Bien, euh… oui, a-t-elle avoué.

— Tu ne sais pas nager? s'est inquiétée Isabelle, l'air découragé.

Tout le monde s'est esclaffé. Pier-Luc, qui tenait le volant, a eu un fou rire incontrôlable qui nous a un peu fait zigzaguer sur la route.

Devant cette réaction unanime, je me suis senti humilié et ma colère montait lentement. Toutefois, il était évident qu'ils allaient continuer si je me fâchais ou si je me mettais à bouder. J'ai décidé d'essayer autre chose.

— Non, je ne sais pas nager. En plus, j'avais oublié de mettre mes jolis brassards bleus avec des Schtroumpfs. Tu sais, les petits anneaux gonflables qu'on porte autour des bras?

Un nouveau rire général a envahi la Honda. Fier de mon coup, j'ai pris une voix de bébé avant d'en ajouter:

— Z'espère qu'on ne va pas faire du canot dans une gosse gosse rivière trop profonde. Ma maman veut pas que z'aille nager là où il y a de l'eau par-dessus ma tête !

À force de rigoler, les filles en avaient les larmes aux yeux.

— Sérieusement, qu'est-ce qui s'est passé ? m'a demandé Isabelle en épongeant une larme.

Maintenant qu'ils s'étaient tous bidonnés, ils étaient prêts à écouter la vraie histoire.

Sans trop exagérer, j'ai tout raconté : le cours avec le père de Thomas ; notre traversée du lac ; l'orage ; les vagues et ma superbe manœuvre qui nous a permis de rentrer sains et saufs. Le seul détail que j'ai « oublié », c'est la raison qui nous a poussés à traverser le lac. Pas question de dévoiler à ces quatre-là que c'est pour voir des filles en bikini que j'ai affronté les éléments. Ils se seraient moqués de moi jusqu'à ma mort… et même après, sans doute !

Maude semblait plus impressionnée que les autres.

— Une chance que vous saviez manœuvrer, parce que si le canot s'était renversé au large, Dieu seul sait ce qui serait arrivé. Même avec une veste de sauvetage, on peut se noyer si les vagues sont assez hautes et qu'elles déferlent sur notre tête.

— En effet...

— Ce n'était pas fort de votre part d'essayer de traverser un lac en furie avec un vent de face, m'a lancé Pier-Luc par-dessus son épaule en conduisant.

C'est à ce moment-là que j'ai réellement compris. J'aurais pu y rester. J'ai senti comme une boule d'angoisse me monter à la gorge. La fierté d'avoir joué les héros a vite été remplacée par la honte d'avoir suivi bêtement mon ami, sans exercer mon propre jugement.

Tout à coup, mon angoisse s'est transformée en panique. Étais-je en train de répéter la même erreur? J'ai pris conscience que j'étais assis dans une bagnole conduite par un ado m'emmenant je ne savais où pour pratiquer un sport dangereux que je ne maîtrisais absolument pas : la descente de rivière...

— OÙ EST-CE QU'ON VA, LÀ?

J'ai crié la question avec une telle force que tout le monde a sursauté.

Pier-Luc a baissé le son de la musique avant de me répondre.

— Les nerfs, Le 6, on s'arrête juste pour mettre de l'essence... Le réservoir est presque vide et on a encore deux heures de route à faire, dont la moitié sur des chemins de gravelle. Tu es vraiment nerveux, toi, hein?

— Ce que je veux savoir, c'est le nom de la rivière, ai-je expliqué. Je viens de me rendre compte que je n'ai aucune idée de l'endroit où on s'en va.

L'inquiétude devait transparaître dans ma voix, parce que pendant que Pier-Luc faisait le plein, mon frère a pris le temps de bien m'exposer l'itinéraire.

— On va d'abord canoter sur le lac Calme. Au bout de ce lac, un site de camping nous attend. On dort là. Ensuite, il y a un portage à faire avant de rejoindre la rivière Manitou. Elle est bien tranquille, cette rivière-là. Le troisième jour est le plus facile : on passe par un ruisseau pour traverser un marécage et on finit avec un court portage. Après, on va VRAIMENT s'amuser ! Une fois sur la rivière Couane, c'est le festival des rapides !

Alors que nous reprenions la route, Alain m'a passé la carte pour que je puisse regarder le circuit à parcourir.

Étant donné que je suis du type visuel, j'ai plongé dans la carte comme si je m'immergeais réellement dans la rivière. J'essayais de visualiser le paysage, de voir les arbres.

Sur la carte, il n'y avait aucun nom de village, aucune adresse, aucune construction indiqués. Cet endroit semblait totalement sauvage.

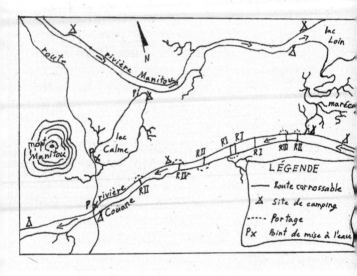

Pendant le reste du trajet, je me suis imaginé des lacs déserts, sans bateaux. Sans quais ni chalets en bordure de l'eau.

Une seule route traversait le territoire et la légende de la carte la décrivait comme «carrossable». Celui qui avait tracé cette carte n'était certainement pas au courant de l'état lamentable de la carrosserie du tacot de Pier-Luc...

Absorbé dans mes réflexions, je n'ai pas remarqué que la voiture s'était arrêtée.

— Comment as-tu fait pour regarder la carte tout ce temps-là sans avoir mal à la tête? m'a demandé Isabelle. Ça brassait tellement sur le chemin de roches qu'on aurait dit qu'un tremblement de terre secouait l'auto!

— La carte? me suis-je exclamé. Je la regardais encore? Pourtant, j'ai le sentiment d'avoir dormi.

Maude est sortie de la bagnole en claquant la porte avec mauvaise humeur.

— Si j'étais policière, je t'enlèverais ton permis de conduire sur-le-champ, Pier-Luc! On dirait que tu faisais exprès pour foncer dans les trous les plus gros. Tu aurais pu ralentir, au moins! Un vrai cow-boy!

Pier-Luc et Alain trouvaient la réaction des filles pas mal exagérée. Ils ont éclaté de rire en se tapant dans les mains comme des joueurs de football après un touché.

Pier-Luc a même lancé un « hiii-haa! » bien senti en faisant tourner un lasso imaginaire au-dessus de sa tête.

La bonne humeur des grands cousins était contagieuse et elle a bien vite chassé mes inquiétudes. C'est à ce moment-là que j'ai remarqué que la voiture penchait bizarrement vers l'avant, du côté du passager.

— Hé, cow-boy! ai-je crié en direction de mon frère. Viens voir. La vieille monture de Lucky Luke s'est blessée à la patte!

Amusé, Alain s'est approché en balançant le bassin et en se tenant la ceinture à deux mains, à la manière d'un cow-boy maladroit.

— Va falloir que tu laisses tomber le rodéo, cousin! Ta suspension est finie et tu as une crevaison, ici!

Pier-Luc était catastrophé, mais il n'a pu que constater l'ampleur des dégâts : la roue semblait s'enfoncer sous le capot et le pneu était complètement à plat. Mon pauvre cousin restait là, sans rien dire, inquiet, frustré et impuissant.

C'est Isabelle qui a ramené tout le monde à la réalité.

— Tu as une roue de secours, non? Alors, on s'occupera de ça en revenant. Pour l'instant, il faut mettre les deux canots à l'eau et attacher tout le matériel dedans, à l'exception des sandwichs du dîner. Il est midi trente et à treize heures, il faut être sur lac. Au travail!

Nous nous sommes exécutés le plus rapidement possible, presque sans parler. Si bien qu'à midi cinquante-cinq, nous pagayions déjà sur le lac Calme.

Il portait bien son nom, ce lac. On y entendait le silence. Pas un chalet, pas un bateau, pas un humain, pas une vague, pas un son. Le léger bruit que faisaient les pagaies en brassant l'eau occupait tout l'espace sonore.

Assis au milieu du canot, entre Alain et Maude, j'observais attentivement les berges. Tout était si beau, si immobile dans les montagnes qui entouraient le lac qu'on se serait cru dans une immense cathédrale.

Le lac était bordé de quelques bouleaux et de plusieurs milliers d'épinettes noires, ces grands conifères dénudés à la base et touffus à la cime.

Me rappelant mes cours d'histoire, je me sentais comme Jacques Cartier ou Samuel de Champlain, quand ils s'avançaient dans des territoires «inconnus de l'homme blanc». À tel point que je n'aurais même pas été surpris de voir un Amérindien sortir des bois pour venir faire du troc avec nous!

Les deux canots fendaient l'eau côte à côte et je m'étonnais bêtement de voir les filles pagayer aussi efficacement, quand tout à coup... SPLASH! Un déluge d'eau glacée s'est déversé derrière ma tête, a coulé sur ma nuque et a mouillé mon dos, allant jusqu'à tremper mes culottes!

— Hey, Le 6, encore dans la lune?

C'était mon frère qui venait de me vider «amicalement» une écope d'eau sur la tête!

En me retournant pour faire face à mon frère et lui dire ma façon de penser, j'ai surpris le regard d'Isabelle. Elle m'a fait un clin d'œil complice avant de frapper l'eau avec sa pagaie en direction de mon Bozo de frère. Il reçu un violent jet d'eau en plein visage et comme il avait la bouche ouverte, il en a avalé une bonne tasse.

— Je viens de comprendre pourquoi on t'appelle Bozo, toi, a lancé Isabelle avant d'essayer de lui envoyer une seconde ondée qui l'a raté de peu.

De mon côté, j'ai profité du fait qu'il avait lâché l'écope pour l'attraper, la remplir et lui balancer un jet en pleine poitrine. L'eau s'est vite écoulée sur ses bermudas verts, qui ont changé de couleur.

— Fallait le dire si tu avais une envie pressante, Alain, l'a nargué Maude. On vient juste de passer à côté des toilettes !

Fou rire général !

Après que nous nous soyons tous aspergés d'eau glaciale dans un grand tintamarre, le lac Calme a pu enfin redevenir… calme.

Nous étions mouillés jusqu'aux os mais heureux. Et unis. Pour la première fois, j'ai eu le sentiment que nous allions former une équipe. Que nous étions tous des coéquipiers dans cette aventure. Je n'étais peut-être plus seulement le petit frère d'Alain, celui qu'on n'a pas le choix de traîner partout. Et j'avais envie d'essayer de faire partie de la bande, pour le meilleur et pour le pire.

Aussi, vers dix-sept heures, quand Maude s'est plainte d'avoir une crampe dans le dos, j'ai tout de suite saisi l'occasion et proposé de la remplacer.

— On est mieux de changer de place. On est encore loin, on dirait.

Je m'attendais à ce que mon frère proteste, mais non. Il s'est contenté de stabiliser le canot pendant que nous nous déplacions, ce qui n'est pas évident dans un canot rempli au maximum.

J'ai pu pagayer une bonne heure sans entendre la moindre remarque désagréable de mon frère sur ma technique déficiente. D'ordinaire, il ne peut s'empêcher de me critiquer et de jouer au prof d'éducation physique quand nous faisons du sport ensemble, peu importe lequel. Son silence a été pour moi le plus beau des compliments.

Chapitre 5

Le spectre de la forêt

Vers dix-huit heures trente, Isabelle a aperçu un petit panneau jaune rongé par la rouille.

— Campement en vue!

C'était une chance qu'elle l'ait repéré. Il était suspendu par un clou à un arbre à moitié déraciné qui penchait au-dessus du lac. Pas plus grand qu'un cartable, caché derrière quelques feuilles un peu jaunies, le panneau semblait avoir été volontairement camouflé.

Le soleil venait de disparaître derrière le mont Manitou et s'il faisait encore clair sur le lac, la forêt avait l'air habitée par une noirceur peu invitante.

Fatigués, nous avons laissé nos embarcations dériver lentement vers la berge.

Tout à coup, le silence si apaisant de cet après-midi paraissait inquiétant, menaçant, même!

Je me demandais pourquoi nous n'entendions aucun chant d'oiseau, aucun bourdonnement d'insecte. C'était comme si tout était mort...

Ça m'a rappelé la nuit blanche sous la tente avec Carlos, l'an dernier. Exceptionnellement, son camp de vacances avait permis aux campeurs d'inviter un ami à passer une fin de semaine sur le site, histoire de faire découvrir la vie de camp à d'autres jeunes.

J'avais, au départ, refusé net l'invitation parce que je me demandais bien quel plaisir il pouvait y avoir à faire du camping avec des inconnus. Mais Carlos m'avait littéralement supplié.

— Viens donc, Le 6, tu vas aimer ça! Tu vas voir, les moniteurs sont vraiment «débiles»! Tu dis que tu n'aimes pas les camps de vacances, mais tu n'y es jamais allé. C'est pas mal bébé, comme argument...

Comme je ne me laissais pas convaincre facilement, il a été obligé de me révéler la « surprise » que les moniteurs avaient promis aux campeurs qui réussissaient à convaincre un ami.

— Tous ceux qui amènent un invité vont avoir droit à une expédition exclusive en forêt. Du camping *vraiment* sauvage ! Tous les anciens qui ont fait cette activité ont dit que c'est mé-mo-rable ! Tu ne peux pas manquer ça !

L'idée d'une expédition spéciale ne m'attirait pas particulièrement, mais Carlos m'avait parlé de son fameux camp tellement de fois qu'à la fin, la curiosité l'a emporté.

Mon ami ne m'avait pas menti : les moniteurs étaient effectivement pas mal « débiles ». Ils avaient tous des noms bizarres comme Kundera, Cachou ou Colargol. Le plus drôle portait un nom encore pire : Cheveux-dans-le-vent ! Il avait la manie d'interpeller les autres moniteurs pour les défier de l'affronter dans des combats de lutte hilarants et complètement fous !

Toutefois, c'est le plus vieux des moniteurs, un genre de géant qui se faisait appeler Viking, qui m'a fait vivre une nuit épouvantable...

Vers vingt et une heures, à la brunante, il nous a fait transporter notre matériel (tente, matelas, sac de couchage, etc.) dans le bois. L'obscurité est vite tombée et nous nous sommes retrouvés à zigzaguer dans la forêt en suivant notre guide, déboussolés. Nos lampes de poche à la main, nous essayions vainement de percer l'insondable noirceur.

Au fur et à mesure que nous marchions, Viking déroulait une immense balle de ficelle.

— C'est une corde-guide, nous avait-il expliqué comme si une telle situation était tout à fait normale. Je n'ai aucune idée de l'endroit où nous sommes ni de la direction que nous prenons en ce moment... Demain, en suivant la ficelle, on devrait pouvoir retrouver notre chemin. J'espère qu'on va tomber sur une clairière bientôt pour installer notre campement, parce que je suis à la veille de manquer de fil... Ha! Ha! Ha!

Je dois dire que je trouvais plutôt terrifiant le fait d'être placé sous la

« supervision » de ce qui me semblait être un grand irresponsable...

Après ce qui m'a paru une éternité et demie, nous sommes arrivés dans une clairière et nous avons monté nos tentes. Ce qui ne fut pas évident, éclairés seulement par nos lampes de poche.

Une fois le campement passé au peigne fin et jugé correct par Viking, je croyais bien qu'on allait enfin se coucher... mais non ! Le cauchemar – que Viking appelait « l'aventure » – venait à peine de commencer !

— Tout le monde autour du feu ! a crié notre moniteur format géant comme si c'était normal d'allumer un feu de joie en pleine forêt passé minuit. Je dois vous informer de quelque chose avant de vous envoyer au lit. Dans le bois, ici, il paraît qu'il y a un esprit qui rôde...

— Oooooh ! J'ai peeeuur ! a lancé Carlos en riant. Encore ta fameuse histoire effrayante, Viking ? Raconte-nous une légende différente. On la connaît déjà, ton histoire de la fille-fantôme qui faisait du pouce !

Le visage de notre moniteur a pâli et il a poursuivi.

— Écoute, Carlos, il ne faut pas rire avec ces histoires-là. Ce que je vais vous raconter est vrai, vraiment vrai ! Et je ne peux pas t'avoir conté ça l'an passé, parce que c'est arrivé cet hiver.

Un lourd silence est alors tombé sur nous et je me suis mis à frissonner. Inconsciemment, j'ai senti le besoin de me rapprocher du feu pour m'éloigner des ténèbres qui entouraient notre campement de fortune.

— En février dernier, deux gars sont venus se promener en skis de fond dans le coin, sur le Sentier du ruisseau. Deux solides athlètes, à ce qu'on dit. Rendus à l'extrémité nord du sentier, un peu plus loin par là (il désigna vaguement une direction derrière moi), ils se sont donné un défi pour se motiver. Une course. Ils devaient revenir au chalet principal le plus vite possible, en piquant à travers la forêt. Ils sont partis côte à côte, mais rapidement, le plus jeune a distancé l'autre et il est vite entré se réchauffer dans le bâtiment. Il a attendu son ami. Il l'a attendu très longtemps... En fait, le deuxième skieur ne s'est jamais rendu au chalet ! On ne l'a jamais revu. Jamais ! Il s'était mis à neiger, ce qui a tout de suite effacé les pistes. En plus, comme le gars avait quitté le sentier, on ne savait pas du tout où le trouver. Les recherches ont duré une semaine, sans résultat. Vous demanderez à Cachou : il habite à seulement dix minutes d'ici et il est venu pour donner un coup de main.

— Ça veut dire que son corps est encore dans la forêt ? a demandé Carlos.

— Hein ? Voyons, ça ne se peut pas, a répliqué un campeur d'un ton mal assuré.

Ignorant les commentaires, Viking a poursuivi son récit macabre :

— Au début de l'été, les policiers sont venus avertir les moniteurs. Ils s'attendaient à ce qu'on tombe sur le cadavre par hasard en faisant nos activités en forêt. Personne n'a trouvé le corps du gars, mais on est trois moniteurs à l'avoir entendu...

— Quoi ? a réagi une petite brune assise juste à côté de moi. Comment ça, vous l'avez entendu ?

— La semaine passée, je me promenais avec Cheveux-dans-le-vent et Tisane. On a tous les trois entendu comme un souffle, un chuchotement. À travers les branches, une voix étouffée répétait : «Trop tard... trop tard... trop tard... trop tard...» Bon, vous êtes avertis maintenant! Allez! Au lit, tout le monde! Ah oui! Si vous l'entendez cette nuit, appelez-moi, d'accord?

Me coucher? Dans cette forêt hantée? J'étais terrorisé et ça devait paraître dans mon visage, parce que Carlos m'a pris par l'épaule.

— Wow! Elle était bonne, celle-là! Viking est vraiment fort pour les légendes. Ne t'inquiète pas, il n'y a rien de vrai là-dedans. Inventer des histoires à dormir debout, c'est sa spécialité!

Je n'ai évidemment presque pas dormi de la courte nuit. Dès que je fermais l'œil, j'avais l'impression d'entendre quelqu'un me murmurer à l'oreille : «Trop tard... trop tard...» En plus, j'avais le sentiment que c'était pour moi qu'il était trop tard!

Je croyais bien que j'allais me réveiller mort! Mais non, j'ai survécu à cette nuit d'enfer et à mes cauchemars. Carlos a bien ri de moi quand il a vu mon air fatigué. Mais c'est lui qui est devenu blanc comme un linge lorsque nous avons trouvé un ski brisé à côté de notre corde-guide sectionnée...

Quand nous sommes débarqués de nos canots, j'étais obsédé par le souvenir de cette nuit d'épouvante. Sans véritable raison, je croyais que nous étions observés et que nous allions, d'un instant à l'autre, tomber sur un spectre ou sur un vieux ski de fond...

Évidemment, il n'y avait ni fantômes ni skieurs dans cette forêt et rien de bien terrifiant ne s'est produit.

Si bien qu'en mangeant avec appétit mes brochettes marinées et mon bol de riz blanc, je me sentais pas mal idiot d'avoir cru la légende de Viking. Et surtout, d'avoir traîné ma frousse jusqu'ici, dans ces bois.

Chapitre 6

Bacon fumé

La noirceur est tombée très rapidement et nous nous sommes bien amusés autour du feu. Isabelle, que la lueur des flammes semblait illuminer, avait emporté un livre de farces. À tour de rôle, nous nous passions le bouquin. Je dois dire que les blagues étaient aussi plates les unes que les autres. Sauf qu'avec la fatigue, à peu près n'importe quoi nous faisait pouffer !

La plus moche d'entre toutes – et celle qui nous a fait rigoler le plus – a été racontée par mon frère.

— Comment ça s'appelle, une citrouille qui a peur ? Comment ça s'appelle, hein ? UNE TROUILLE ! Ha ! Ha ! Ha !

Il a des talents d'humoriste, Bozo, parce que sur le coup, j'ai tellement ri que j'en ai eu des crampes.

Vers vingt-deux heures, épuisés, nous nous sommes tous couchés. Pier-Luc et Isabelle étaient confortablement installés dans une tente en forme de dôme allongé. De notre côté, Maude, Alain et moi dormions dans une grande tente militaire qui sentait les boules à mites. Elle avait été donnée à mon père par mon oncle Jean il y a fort, fort longtemps.

À peine ma tête avait-elle touché mon oreiller que mon esprit s'est évadé au pays des rêves.

○

Après la journée calme et ensoleillée de la veille, le contraste était frappant au sortir de la tente. Il faisait sombre et une rafale m'a fouetté le visage. En levant les yeux, j'ai aperçu à travers les branches une masse de nuages gris foncé. Poussés par le vent, ils prenaient possession de la voûte céleste.

— Réveillez-vous! a dit Maude en se dirigeant vers les cendres du feu, les bras chargés de petites branches. Il faut plier les tentes et faire le feu avant l'orage.

— J'arrive. Je vais t'aider à monter le feu, mais il me semble qu'on devrait garder les tentes. Comme ça, on pourra manger à l'abri si le ciel nous tombe sur la tête.

C'est mon frère qui m'a répondu.

— Si on attend, on va démonter les tentes et les plier sous la pluie. Elles seront trempées de bord en bord. Je te garantis que ce soir, tu n'aimeras pas étendre ton sac de couchage bien sec dans une flaque d'eau !

En entendant Maude et Alain, les autres s'étaient activés et en moins de deux, leur tente était rangée dans un sac étanche et attachée au fond de leur canot.

Malheureusement pour nous, notre abri de fortune était pas mal plus compliqué à défaire. L'orage nous a surpris alors qu'on essayait de s'y retrouver dans nos multiples piquets… FLOUCHE !

Le bois mis de côté pour le feu était gorgé d'eau et comme je n'avais pas enfilé mon imper, je l'étais moi aussi.

Mon espoir de manger un bon déjeuner bien chaud était à l'eau.

C'est là que j'ai compris qu'en camping, le feu, c'est vital. Les flammes représentent la lumière, la chaleur, le confort et le réconfort. Quand ça va mal, le feu peut même évoquer l'espoir, la lumière au bout du tunnel.

Voilà pourquoi Pier-Luc n'a pas renoncé si facilement. Sans même songer à me demander mon avis, il a pris mon imper et l'a accroché à quatre branches, de façon à faire un petit toit au-dessus des cendres mouillées.

Ensuite, il a fièrement sorti une quinzaine de brindilles sèches de sous son manteau.

— On va l'avoir, notre feu, c'est moi qui vous le dis! Alors, passez votre commande : café ou chocolat chaud ?

Assis sur une bûche, je l'ai observé avec un brin d'admiration. Lentement, très lentement, il a ajouté au brasier naissant des branches de plus en plus grosses, jusqu'à ce qu'il puisse placer la grille de cuisson sur le feu et mettre de l'eau à bouillir. À ce moment, les braises étaient si chaudes qu'on pouvait voir l'eau s'évaporer tout autour.

— À table, les naufragés! a lancé gaiement Pier-Luc. Tu peux reprendre ton imper, Le 6. La pluie ne peut plus rien contre mon feu : les gouttes d'eau s'évaporent avant de l'atteindre !

J'ai rapidement enfilé mon manteau par-dessus mes vêtements mouillés. J'ai d'abord ressenti une chaleur réconfortante et enveloppante. Ensuite, une puissante odeur de fumé m'a envahi les narines.

— Pouah ! me suis-je exclamé. Qu'est-ce qui sent fort comme ça ?

Mon frère s'est approché de moi et il a pris une profonde inspiration.

— Euh... c'est toi, frérot. La fumée a imprégné ton manteau. Humm ! Tu sens le bon jambon.

— Non, ça sent plutôt le bacon fumé ! a corrigé Isabelle. Mais j'aime bien le bacon, pas toi ?

Elle a ponctué son commentaire d'un sourire et d'un clin d'œil que je ne savais pas du tout comment interpréter.

Elle a continué à me regarder comme si elle attendait une réponse. J'avais beau chercher, je n'ai rien trouvé d'intelligent à dire.

Nous avons dévoré notre gruau fumant de chaleur en savourant notre chocolat chaud comme si c'était le premier et le dernier que nous buvions.

Nous avions une dure journée devant nous. Elle commençait par un long et pénible portage de cinq cents mètres dans une forêt détrempée.

Rapidement, Alain et Maude ont mis notre canot sur leurs épaules et sont partis à travers la forêt en me chargeant de transporter la tente.

L'horreur ! Cette tente pesait un tonne lorsqu'elle était sèche. Mouillée, elle semblait en peser le double !

En plus, comme nous l'avions rangée à la hâte, deux poteaux dépassaient du sac, s'accrochant sans cesse dans les branches qui longeaient le sentier.

Heureusement pour moi, Maude était à bout de souffle à mi-parcours. Elle a donc laissé tomber l'embarcation. Les épaules endolories par le poids du canot, elle a proposé de changer de place avec moi.

Le bonheur ! Sous le canot, j'étais à l'abri de la pluie. Moi qui venais de recevoir des millions de gouttelettes sur la noix depuis mon réveil, j'étais enchanté de porter le plus lourd des parapluies !

Vers quatorze heures, nous sommes finalement arrivés sur le bord de la paisible rivière Manitou. Comme pour nous encourager, le soleil s'est montré le bout du nez entre deux nuages et nous avons pu dîner sans nous faire doucher... J'ai même commencé à sécher !

Fatigué et affamé, j'ai dévoré mes carottes, mon sandwich au beurre d'arachide et ma barre tendre encore plus vite que les autres. Je me suis ensuite assoupi, appuyé contre un énorme bouleau blanc.

J'ai été réveillé un quart d'heure plus tard, par Bozo.

— Hé, Bacon ! BACON ! Ce n'est plus le temps de rêver. Il faut partir si on veut arriver à bon port. À bon porc ! Hein, Bacon, il faut arriver à bon porc ! Ha ! Ha ! Ha !

Encore à moitié endormi, je me suis installé dans le canot sans comprendre pourquoi tout le monde riait. Mon incompréhension devait être inscrite dans mon visage parce que Maude s'est retournée pour m'expliquer.

— Toi, tu t'y es fait, mais tu empestes encore le bacon fumé, Francis. Et du bacon, c'est du porc !

Nous avons pagayé sous une légère bruine tout l'après-midi. La Manitou était comme une petite rue sinueuse, tranquille et rassurante. À deux reprises, un couple de canards nous a suivis. Ils devaient bien se demander ce que des humains étaient venus faire chez eux. À vrai dire, je n'étais pas encore bien certain de ce que j'étais venu faire là, moi non plus...

Chapitre 7

Du feu dans les yeux

Au site de campement, la pluie avait complètement cessé et nous avons rapidement monté notre tente, dans l'espoir qu'elle sèche un peu avant la nuit.

Pier-Luc, qui s'était autoproclamé « maître des flammes » après son exploit du matin, nous a balancé ses instructions :

— Corvée de bois ! Il me faut de la matière combustible pour nous réchauffer.

— J'y vais ! Euh... On y va !

Isabelle et moi, nous avions parlé en même temps.

— Finissez d'établir le campement, on revient dans une dizaine de minutes, ai-je lancé.

— Ne me rapportez pas n'importe quoi. Trouvez-moi des branches ou des petits arbres morts, mais pas encore pourris.

Plus tard pendant l'expédition, j'ai compris pourquoi il fallait utiliser ce genre de bois. C'est que le bois vivant est rempli de sève, alors il brûle mal, dégageant très peu de chaleur. On appelle ça du bois «vert». D'un autre côté, les arbres ou les branches morts depuis longtemps sont en état de putréfaction plus ou moins avancée. Ils sont encore plus humides.

Pour un citadin habitué à se faire livrer du bois coupé en belles bûches bien sèches et prêtes à mettre au foyer, participer à une corvée de bois, ce n'était pas si évident !

— Du bois mort, mais pas depuis trop longtemps ! Comment suis-je censé reconnaître ça, moi ? Il n'y a pas de certificat de décès sur les arbres, que je sache.

— Ce n'est pas bien compliqué, tu vas voir, m'a rassuré Isabelle. Le truc, c'est de prendre des branches mortes sur des arbres vivants. Dans la forêt, les branches qui sont à la base des troncs meurent parce que le soleil ne les atteint pas. On n'a qu'à les cueillir. Regarde, c'est sec, ça casse tout seul !

— Comment ça se fait que tu sais ça ? Tu n'as pas vraiment l'air d'une fille de la campagne...

— C'est... c'est à cause de mon père. Il adorait la nature, le calme. Il m'emmenait souvent en camping. Plusieurs fois par été, même. On partait pour une fin de semaine, juste nous deux.

Elle parlait de moins en moins fort, presque en chuchotant. Son regard s'est abaissé vers le sol, comme si elle avait pu déceler quelque chose de très important dans les feuilles mortes qui gisaient à ses pieds.

— Ce sont les plus beaux souvenirs qu'il m'a laissés.

— Voyons, Isabelle, tu parles comme si tu n'allais jamais plus faire de camping avec ton père. Je sais que tu habites maintenant avec ta mère et mon oncle Gérald, mais je ne vois pas pourquoi on t'interdirait de voir ton père.

Isabelle s'est alors assise en face de moi sur le tronc d'un arbre déraciné. Elle fixait encore le sol. Elle semblait sur le point de pleurer et moi, je me demandais bien ce que j'avais pu dire pour lui faire autant de peine.

Elle a versé une larme, puis elle a pris une profonde inspiration avant de poser sur moi ses yeux inondés. Ils brillaient de mille feux, comme des étoiles dans un ciel sans lune.

— Tu ne comprends pas. Mes parents ne se seraient jamais séparés... Jamais ! Tu ne pouvais pas le savoir, mais mon père est mort il y a trois ans.

Complètement aveuglé par sa beauté, hypnotisé par ses yeux humides, je lui ai demandé bêtement comment c'était arrivé.

Ignorant ma question, elle a simplement poursuivi ses réflexions.

— Mon père s'appelait Robert. C'était un ingénieur très talentueux. Un jour, il est parti au Mali aider les gens à construire des puits pour qu'ils aient accès à de l'eau potable. Il en est revenu très malade. C'était une affection très rare. Un mois plus tard, ma mère était veuve et moi, je n'avais plus de père.

Ne sachant plus quoi dire, j'ai simplement bafouillé que j'étais désolé, que je ne voulais pas lui rappeler ces souvenirs douloureux.

D'un bond, elle s'est levée et m'a enlacé, me serrant très fort. Elle a ensuite déposé un baiser sur ma joue avant d'essuyer ses larmes.

— C'est correct. Il faut que j'en parle de temps en temps. Ça me fait du bien. Je me sens mieux, après! Alors, on la fait, cette corvée de bois?

— Certainement, ma belle! Heu... Belle Isabelle... Heu... Je... Je peux t'appeler Belle puisque moi, mon nom est Francis et que tout le monde m'appelle Cis!

Quelle révélation! Oui, je la trouvais belle. Très belle, même! Mais je n'avais pas voulu le lui avouer.

À l'intérieur de moi, c'était la panique! Mon cœur battait si fort que j'entendais chacune de ses pulsations dans mes oreilles. Dans mon ventre, mes entrailles se tordaient violemment, me causant une crampe fulgurante.

Je l'avais appelée Belle sans y penser, sans le vouloir, sans pouvoir m'en empêcher. Pourquoi?

Comme les analystes sportifs quand un match de hockey est diffusé à la télé, j'ai fait repasser les dernières minutes dans ma tête, au ralenti.

D'abord, Isabelle a fait chuter ma défensive en m'ouvrant son cœur. Ensuite, elle m'a ébloui avec son regard lumineux (j'avais déjà perdu mes repères, mais elle en a tout de même rajouté !). Elle a enchaîné avec la plus solide des mises en échec en me prenant dans ses bras. À ce moment-là, elle fonçait seule, en échappée devant le gardien de but de mon cœur.

Lorsqu'elle a posé ses douces lèvres sur ma joue, mon gardien a carrément quitté son filet, sans doute pour aller cueillir des fleurs dans les gradins ! Elle a donc compté dans un filet désert. Le mot « belle » est sorti de ma bouche comme la lumière rouge annonce le but marqué.

En bon entraîneur, j'ai changé de gardien et envoyé mon deuxième trio dans la mêlée. Mais celui-ci est moins talentueux que le premier et c'est sans trop de conviction que j'ai bredouillé une explication à mon lapsus. Je l'avais appelée « Belle » parce qu'elle se prénomme Isabelle ! Franchement, elle n'allait certainement pas croire ça...

— Ah, c'est *cute*, ça ! Isabelle… Belle… Je n'avais pas réalisé qu'il y avait un si joli mot dans mon nom. Tous mes amis m'ont toujours surnommée Isa. Ça ferait un peu prétentieux de se faire appeler Belle. Je ne pense pas que je pourrais m'y habituer. C'est drôle, mais c'est surtout gênant. Appelle-moi donc Isa, comme tout le monde !

— Ma belle… Heu… Mais, Belle, je connais trois autres Isabelle et elles se font toutes appeler Isa. Ce n'est pas très original. En plus, une fille comme toi mérite mieux que le surnom Isa.

À ce moment-là, j'ai vu son visage changer d'expression et exprimer un profond malaise. Il est clair qu'elle n'avait pas voulu ouvrir son cœur (encore moins le mien). C'était arrivé par accident, tout simplement.

Isabelle m'avait serré dans ses bras parce que j'étais la seule personne aux alentours, parce qu'elle avait besoin de réconfort.

Sauf qu'il était trop tard, le mal était fait. Moi, j'avais le cœur chaviré, les sentiments à fleur de peau et la tête quelque part là-haut, dans les nuages.

Voyant mon air troublé, elle s'est avancée vers moi avant de poursuivre :

— Francis, je ne te suis plus, là...

Si elle n'avait pas plongé son regard dans le mien, j'aurais probablement pu me retenir. Mais sa beauté m'envoûtait et je ne pouvais rester muet.

— Tu es jolie, voilà. En fait, tu es bien plus que ça. Tu es... tu es...

Je m'étais rapproché peu à peu, si bien que je n'ai pas pu terminer ma phrase. Je l'ai embrassée. Pas longtemps. Juste assez pour un premier baiser, je pense. Elle s'est laissée aller quelques délicieuses secondes avant de faire un pas en arrière.

— Holà! Ouf! On se calme, d'accord? Je n'étais pas prête à ça, moi. Écoute, tu es gentil et drôle. Tu es même mignon. Mais tu es presque mon cousin, maintenant. En plus, tu es plus jeune que moi. Tu n'as même pas treize ans et j'en ai quatorze. Les autres fois, je suis sortie avec des garçons plus vieux que moi.

En me parlant, elle s'est rassise sur le tronc de l'arbre déraciné.

— Je ne sais plus quoi penser. Tu m'as virée à l'envers. Donne-moi du temps pour réfléchir à tout ça. C'est tout ce que je te demande.

Alors là, j'étais revenu sur terre! En pleine possession de mes moyens, j'ai repris le contrôle de la partie. C'était 1 à 1, à la fin de la deuxième période.

— Pas de trouble, ai-je dit avec aplomb, comme si je vivais ce genre de situation quatre fois par jour. On va chercher du bois? J'ai faim, moi. En plus, il commence à faire noir.

La pluie avait définitivement cessé et nous avons facilement allumé un bon feu pour nous réchauffer et sécher nos vêtements.

○

— Regardez-moi bien aller, a lancé mon frère à tout le monde. Ce soir, c'est mon tour de faire la vaisselle, non?

Dès le départ, nous avions convenu que nous ferions la vaisselle à tour de rôle. C'était à Bozo de se salir les mains et il avait évidemment pensé à un stratagème pour s'éviter la tâche!

— Ouais, c'est ton tour, a répondu Maude. Tu n'es pas chanceux parce que si le chaudron qui sert à faire cuire les nouilles est facile à laver, celui de la sauce à spaghetti, c'est le pire du voyage! J'ai bien hâte de te voir gratter les morceaux de viande calcinés au fond de la casserole! Ha! Ha! Ha!

— C'est justement de ça que je veux parler. Je parie ma corvée de vaisselle que je peux réussir à faire chauffer la sauce sans salir le moindre chaudron.

Il a levé les deux boîtes de conserve de sauce bien haut dans les airs. Puis, il a empoigné deux casseroles avant de jongler avec celles-ci à la manière d'un magicien qui se prépare à ébahir la foule.

— Impossible! Même le grand David Copperfield ne pourrait pas faire ça, a dit Isabelle.

— Alors, tu paries?

— Bien sûr! a crié Isabelle. On va même aller plus loin. Si tu réussis, je vais faire TOUTES tes corvées de vaisselle des vacances. Mais si tu salis un chaudron, même avec une seule petite goutte de sauce, c'est toi qui vas frotter pour le reste du voyage!

Quelle gaffe! Isabelle ne connaissait pas encore bien mon frère. Elle ignorait ses trois principales caractéristiques:

un, il est paresseux ; deux, il est ingé-
nieux ; trois, il adore attirer l'attention,
faire le clown et jouer des tours... Il m'a
regardé et m'a fait un sourire, content de
voir que quelqu'un était tombé dans son
piège.

— Vous êtes tous témoins du pari.
Maintenant, observez l'artiste. Tout ce
que ça prend, ce sont des braises bien
rouges, de la sauce en boîte et, évidemment, un canif...

Après avoir sorti son outil, il a fait
deux larges trous dans chaque couvercle
(pour laisser la vapeur s'échapper,
m'a-t-il expliqué plus tard). Ensuite, il a
placé les boîtes au milieu de quelques
morceaux de braises qu'il avait préala-
blement sortis du feu.

— Voilà, cher public en délire, dans
dix petites minutes, la sauce sera bien
chaude. En fait, elle sera prête en même
temps que les nouilles, comme dans les
émissions de cuisine. Et ce chaudron, je
ne l'utiliserai même pas ! En fait, comme
il ne sert à rien, je vais le ranger tout de
suite !

— Ha ! Ha ! Ha ! Tu t'es bien fait avoir,
Isabelle. Tu es fort, cousin. Aussi fort
que Copperfield !

Le reste de la soirée s'est déroulé sans histoire. Bonne joueuse, Isabelle s'est acquittée de sa tâche seule, sans se plaindre. Un instant, j'ai voulu aller la rejoindre sur le bord de la rivière pendant qu'elle frottait les assiettes, mais je me suis ravisé. Au fond, je n'avais rien de plus à lui dire pour le moment. Peut-être en avais-je même trop dit, d'ailleurs... Et puis, elle m'avait demandé du temps.

Chapitre 8
Perdus

J'ai très, très mal dormi cette nuit-là. Je me suis réveillé je ne sais combien de fois et j'ai dû faire une dizaine de cauchemars. Ceux dont je me suis souvenu avaient deux points en commun : ils avaient un lien avec l'expédition et il nous manquait quelque chose d'important.

Dans un de mes rêves, j'avais perdu notre sac d'ustensiles et nous devions manger avec nos mains pendant plusieurs jours. Dans un autre, Alain avait oublié notre tente dans l'auto et nous devions coucher entassés les uns sur les autres dans le minuscule abri de Pier-Luc.

Mon pire cauchemar a été le dernier. Je pagayais doucement sur un lac quand tout s'est mis à disparaître autour de moi. Je me suis retrouvé sans pagaie, sans canot, puis sans veste de sauvetage. À la fin, je nageais tout seul, nu au milieu de l'immense lac...

— Réveille-toi, Le 6, on a une grosse journée à faire pour se rendre à la rivière Couane.

J'étais fatigué, à un point tel que je n'ai même pas daigné répondre à mon frère, préférant dormir encore quelques minutes, quitte à déjeuner en grignotant quelques barres tendres dans le canot.

Nous nous sommes rapidement engagés dans un ruisseau assez profond situé au bout du lac. Il n'était guère difficile à trouver, le lac ayant la forme d'un entonnoir. Lentement, l'excédent d'eau du lac coulait dans ce paresseux ruisseau, s'avançant parmi des arbres morts noyés par les crues passagères.

Parfois, le cours d'eau s'élargissait un peu, atteignant la largeur d'une toute petite rivière. La plupart du temps, il était toutefois à peine assez large pour que nous y progressions, de telle sorte que nos canots et nos pagaies s'accrochaient fréquemment dans les buissons touffus qui le bordaient.

Exténués, Isabelle, Maude, Pier-Luc et Alain ont pagayé une bonne heure sans rien dire. Nous n'entendions alors que le bourdonnement des insectes voraces. Nous étions en effet entourés d'un nuage constitué de milliers de moustiques, de brûlots et de mouches noires qui n'avaient apparemment jamais dégusté d'animaux aussi tendres et savoureux que nous...

Les bestioles se jetaient sur mes équipiers sans gêne aucune, puisque comme dans mon rêve, il nous manquait quelque chose d'essentiel...

— Pier-Luc, je ne peux pas croire que tu as laissé le chasse-moustique là-bas ! a pesté Maude en se giflant elle-même, espérant tuer quelques-uns des vampires qui s'abreuvaient sur sa joue.

— Tu viens de gâcher la fin de l'expédition, a renchéri Isabelle avec colère. Maintenant, on va passer notre temps à se taper dessus.

Elle a joint le geste à la parole, frappant violemment sa nuque de sa main droite pour écraser une mouche noire qui lui dévorait la peau du cou.

De mon côté, penché au-dessus du plat-bord, j'observais distraitement les fines algues qui ondulaient dans l'eau cristalline, à peine un mètre sous le canot.

— C'est bizarre, ai-je dit en bâillant, les insectes ne m'agressent pas, moi. Je ne dois pas avoir bon goût, je suppose.

— C'est plutôt ton odeur de vieux bacon fumé qui les repousse, a expliqué mon frère pour détendre l'atmosphère. Ces bestioles préfèrent le steak bien saignant comme moi !

— Bon sang, c'est vrai, s'est exclamée Maude. La fumée repousse les insectes, c'est bien connu. Francis empeste encore le feu de bois et il est le seul à avoir la paix.

— Ce soir, je vais tous nous faire fumer comme des jambons, les amis, a promis mon cousin. Ça va être facile, il suffit de jeter des feuilles vertes sur le feu quand il est bien pris.

L'annonce d'un réconfort lointain ne satisfaisait pas mon frère. Il venait de taper sur deux moustiques gorgés de son sang et regardait sa main ensanglantée avec un mélange de dégoût et de frayeur. Il s'est essuyé sur ses bermudas avant de prendre la parole :

— On s'arrête pour dîner dès qu'on trouve une place pour accoster dans ce foutu marais plein de méandres. Là, je nous fais un bon feu de bois humide, fumant au maximum !

— D'accord, a répondu Maude. Parce que si on ne fait rien, je vais avoir besoin d'une transfusion avant ce soir. Et je ne suis pas certaine de trouver un hôpital ou une clinique au fond de ce maudit marais puant !

C'est alors que j'ai relevé la tête. Le paysage avait dramatiquement changé depuis mon dernier coup d'œil. Comme j'étais plongé dans la contemplation béate des algues dansantes et des quelques petits poissons qui s'y baladaient, je n'en avais pas eu conscience.

Le ruisseau, qui serpentait vaillamment parmi les broussailles et les arbres desséchés, s'élargissait devant nous pour se transformer en un vaste marécage vaguement sinistre. La surface de l'eau était presque totalement recouverte d'algues ou de nénuphars, et l'eau prenait une teinte légèrement brunâtre.

— On est où, là ? ai-je demandé. Ça ne ressemble pas à la fantastique rivière

Couane que tu m'as décrite dans l'auto, grand frère.

— Là, on est dans une tourbière, m'a répliqué Alain sur un ton agacé. Au bout, il y a un petit portage qui nous mène au campement de la rivière. D'après moi, on devrait arriver bientôt au porta...

Il n'a pas eu la chance de terminer sa phrase, notre canot s'étant brusquement immobilisé dans la vase. J'en ai perdu l'équilibre et ma tête s'est enfoncée dans le dos de Maude, qui a lancé un cri sourd de douleur.

— Désolé, ai-je bafouillé en tentant de reprendre l'équilibre.

Ce qui était peine perdue, car je suis retombé sur le dos quand notre canot a été secoué par celui d'Isabelle et Pier-Luc, qui venait de nous rentrer dedans par derrière. Ils nous suivaient de trop près et n'avaient pas eu le temps d'arrêter.

Les deux embarcations se sont frappées si fort que j'ai bien cru que nous allions tous couler sur-le-champ.

Sous l'impulsion du second canot, nous nous sommes avancés encore plus profondément dans la boue visqueuse.

Une bulle de gaz emprisonnée depuis je ne sais combien de temps dans la vase s'en est échappée en un «pop» sonore. L'air s'est alors empli de la pire odeur du monde : celle de la putréfaction. Quelque chose, captif de la boue, pourrissait là-dessous. Ça empestait avec une telle puissance que Maude a eu un haut-le-cœur soudain et a vomi son petit-déjeuner sur les nénuphars.

— Ouache ! On recule ! a ordonné mon frère, dégoûté.

Mais ses coups de pagaie étaient sans résultat. Le limon ne relâchait pas son emprise et l'effet de succion était impitoyable.

Pensant aider, Maude a tenté de pousser sur la vase avec sa pagaie. Elle n'est parvenue qu'à la ficher solidement dans la boue et il nous a fallu plusieurs minutes rien que pour l'en extraire.

Épuisée, affamée et assaillie par les moustiques, Isabelle a tout de même eu l'idée d'attacher son canot au nôtre pour nous remorquer.

— À quatre pagayeurs, on devrait y arriver. Allez, Le 6, prends la pagaie de Maude et force en même temps que nous.

L'idée semblait bonne, mais après cinq minutes de propulsions intenses, nous n'avions réussi qu'à faire des vagues.

D'un commun accord, nous avons décidé de dîner sur place pour prendre des forces et trouver un moyen de s'extirper du piège.

Maude, le visage encore verdâtre de celle qui vient d'être malade, n'a avalé qu'une maigre collation.

Après un bref repas et une séance de remue-méninges, nous avons entrepris d'alléger notre canot au maximum en transférant tout notre matériel dans l'autre embarcation.

Une minute et quelques bons coups de pagaie plus tard, nous étions sortis du piège, remorqués à travers les nénuphars.

Cependant, nous restions tous inquiets, vraiment inquiets. Notre mésaventure nous avait distraits de notre problème le plus grave : nous étions perdus en plein marécage, loin, très loin de toute civilisation.

Entourés d'îlots de vase, de petites mares, de ruisseaux minuscules, de touffes de quenouilles et de quelques arbres morts mais encore debout, impossible de savoir par où aller.

— On n'a qu'à se guider avec la carte, a affirmé mon frère pour nous remonter le moral. D'après ce que je vois, la rivière Couane est au sud du marécage. Comme le soleil est passé au-dessus de nous en se dirigeant vers l'ouest, on peut dire que le sud est à peu près dans cette direction. Si on progresse vers cette montagne, on va bien finir par se retrouver dans la rivière Couane.

— C'est bon, a approuvé Maude, encouragée. On avance par là, mais pas trop vite. Pas question de s'enfoncer dans un autre delta de vase pourrie!

Prenant les devants, Pier-Luc et Isabelle se déplaçaient lentement en direction de la sombre colline quand des branches les ont arrêtés doucement en raclant leur canot.

— On ne peut pas garder un cap et aller en ligne droite, s'est plaint Pier-Luc entre deux jurons. Ce maudit marais-là est rempli de pièges. Je suis pris là, j'ai l'impression de pagayer dans la haie de mon voisin!

Mais je ne l'écoutais plus. J'observais les fines algues qui s'inclinaient au fond de l'eau, telle la chevelure d'une fille au vent. C'était joli et envoûtant. Tout à coup, j'ai eu comme une révélation.

— Je l'ai! Oui! Je sais ce qu'on va faire. C'est un labyrinthe aquatique, vous comprenez? Regardez : partout autour de nous, il y a des murs et des obstacles qui forment des genres de corridors. Comme dans un vrai labyrinthe, il y a forcément une entrée et une sortie, et...

— Ouais, m'a interrompu Bozo. On sait qu'on est perdus. Merci, Francis!

Il était vraiment frustré, parce qu'il m'avait appelé Francis au lieu de Le 6 ou de frérot...

— On sait qu'il y a une entrée, on en arrive! La question, c'est : elle est où, la sortie?

Isabelle fixait le fond de son canot, abattue.

— Faut qu'on sorte d'ici. Le soleil va se coucher dans à peu près deux heures, on est en train de se faire dévorer vivants et il est impossible de planter notre tente...

Submergée par l'émotion, elle a versé une larme, exprimant ainsi son découragement mieux qu'avec n'importe quels mots.

Nos canots étaient immobilisés côte à côte. Nous avions cessé de pagayer, parce que nous ignorions totalement par où aller.

J'ai alors pris une profonde inspiration avant de leur livrer la solution, la clé qui allait nous permettre de nous évader de cette prison.

— Comme je vous le disais tantôt, nous sommes dans un genre de labyrinthe. Ça me fait penser à une légende de la mythologie grecque que m'a racontée un ami. Écoutez ça ! Dans une ville appelée Athènes, il y avait un labyrinthe où était enfermé un monstre, le Minotaure. C'était une bête féroce et terrifiante. Mi-homme, mi-taureau, elle était dotée d'une force prodigieuse et se nourrissait de jeunes gens. Les habitants de la ville étaient obligés de nourrir le Minotaure pour éviter qu'il s'enfuie de son domaine et saccage la ville. Un jour, une fille nommée Ariane a eu une idée pour que Thésée, son amoureux, puisse survivre à son emprisonnement avec le Minotaure. Avant qu'il soit livré en sacrifice, elle lui a remis une épée et une bobine de fil. En avançant dans le laby- rinthe, il a déroulé le fil jusqu'à ce qu'il tombe sur l'animal mythique. Après un violent combat, il est parvenu à vaincre le monstre. Puis il n'a eu qu'à suivre le fil pour retrouver son chemin! On a appelé cette astuce «le truc du fil d'Ariane». Notre fil d'Ariane à nous, il est sous le canot. On n'a qu'à se pencher pour le saisir!

J'étais vraiment fier. Comme Thésée, nous allions retrouver notre chemin.

Cependant, voyant qu'Isabelle, Maude, Pier-Luc et Alain me fixaient avec un air de totale incompréhension, j'ai constaté que je n'avais pas été tout à fait clair. J'ai poursuivi sur ma lancée:

— Alain, d'après toi, c'est quoi, notre fil d'Ariane?

— Je ne sais pas de quoi tu parles, Francis! m'a crié mon frère avec colère. Arrête de m'énerver avec ta mythologie grecque. Il n'y a pas de fil ici, voyons!

— Ce qui nous a menés ici, cher frère, c'est le courant, pas vrai? Le courant, c'est notre fil. L'eau entre dans le marais par le lac et il faut bien qu'elle en sorte, non? Le ruisseau coule forcément vers la rivière Couane. En surface, on ne voit qu'un grand marécage, mais si tu regardes sous le canot, tu vas voir le ruisseau. Je l'ai trouvé, moi. En rêvassant, j'ai observé les algues, au fond. C'est comme ça que j'ai repéré le chenal, là où le courant passe.

— Et comment tu fais pour voir où le ruisseau coule dans tout ça? a demandé Maude en se retournant. Moi, je ne vois qu'un gros marais recouvert de nénuphars.

— Regarde dans l'eau, près des arbustes. Les algues sont droites jusqu'à la surface parce qu'il n'y a pas de mouvement. Là où le ruisseau coule vraiment, elles penchent vers l'aval. Le courant est tellement faible qu'on ne le sent pas. Les algues, elles, sont inclinées vers la sortie. Elles pointent la solution!

Penchés au-dessus des plats-bords, nous fixions tous les algues, réjouis.

— Ok! On y va! a ordonné mon frère pour nous sortir de notre immobilisme. Le soleil va se coucher bientôt et je ne veux pas dormir ici, moi!

Je me suis retourné vers lui et j'ai pu apercevoir son sourire de soulagement. Il s'est ensuite avancé vers moi pour me donner une bonne tape sur l'épaule en riant. Il était fier de son « frérot », le Grand Bozo!

Une demi-heure plus tard, nous étions sur la terre ferme. Il faisait déjà nuit dans la forêt et nous avons dû monter notre campement à la lueur de nos lampes frontales.

○

Les moustiques, brûlots et mouches noires s'étaient couchés en même temps que le soleil et nous avons passé une soirée très agréable, à jaser autour du feu.

— C'est drôle comme tout a meilleur goût en camping, nous a fait remarquer Pier-Luc. Je savoure ce couscous trop cuit comme si c'était de la grande cuisine. En plus, il a été mélangé à du bouillon de poulet en poudre et à des carottes en conserve. Il n'y a rien de raffiné là-dedans, mais ici, ce soir, ça me semble être le meilleur des repas!

— Je suis certaine que si maman te servait ça à la maison, tu te plaindrais et tu fouillerais dans le frigo, à la recherche d'un restant plus ragoûtant à mettre au four à micro-ondes!

— On réagit différemment parce qu'ici, c'est la vraie vie, a commenté Maude. Il n'y a rien de «gratuit», rien qui arrive sans efforts. On doit tout faire nous-mêmes, en équipe.

— C'est vrai qu'on forme une belle équipe, a approuvé mon frère. Mais c'est Francis notre joueur étoile aujourd'hui. C'est à lui que nous devons d'être sortis du marais.

— Oui, a continué Isabelle en se tournant vers moi. Une chance que tu as trouvé une solution parce que moi, j'étais démoralisée.

Elle m'a regardé fixement, attendant probablement que j'ajoute quelque chose. Je n'en faisais rien alors elle a poursuivi.

— Je ne voyais vraiment pas comment sortir de là. Je ne l'ai pas dit, mais j'ai même cru que nous allions y rester.

Elle m'observait à présent avec un mélange de tristesse, d'angoisse et de reconnaissance. Ses yeux embrouillés brillaient à la lueur du feu comme les plus belles des émeraudes. J'ai compris que ce regard-là allait encore une fois abattre toutes mes défenses et me transpercer le cœur, alors je l'ai esquivé en changeant de sujet.

— Comme ça, demain, on se lance sur la rivière de tes rêves, Bozo ?

— Dans le mille, frérot ! Tu vas voir, le courant n'est pas dur à trouver ! Tu n'auras pas besoin d'observer les algues pour savoir vers où ça coule ! Le courant nous emporte. Il faut l'apprivoiser, le dompter pour qu'il nous transporte dans les rapides sans nous fracasser sur les roches. C'est pour ça qu'on devra toujours étudier le rapide à partir de la berge avant de s'y engager.

S'ensuivit une leçon sur les différents noms donnés aux courants que l'eau vive forme en franchissant ou en contournant les obstacles.

Alain et Pier-Luc s'efforçaient de nous décrire les remous formés par les roches « pleureuses », les seuils et les rouleaux. Pour illustrer les courants, qui se divisent en veines principales et secondaires, ils traçaient des dessins dans le sable avec des bâtons.

Sauf que j'étais bien trop épuisé par ma journée pour prêter attention à tout ça. Si bien que je me suis mis à cogner des clous. Je me suis endormi assis sur mon banc alors qu'ils parlaient de l'importance de repérer les contre-courants avant de s'engager dans un rapide.

— Qu'est-ce que tu penses de ça, Le 6? m'a demandé Pier-Luc en me donnant une bonne poussée sur l'épaule.

Parfaitement envolé au pays des rêves, je suis tombé en bas de ma bûche.

— Ça va être beau sur la rivière demain, a rigolé Maude. On fait juste parler de rapides et ton embarcation se renverse!

— Vous êtes peut-être très bons dans les rapides, ai-je marmonné entre deux bâillements, mais on a pu voir cet après-midi que vous n'êtes même pas capables de reconnaître un ruisseau quand vous en voyez un, alors…

Fâchés de constater que je m'étais assoupi pendant leur cours, Bozo et mon cousin m'ont bien lancé quelques flèches de reproches, mais je les ai évitées en me détournant et en allant me coucher sans dire un mot de plus. Deux minutes plus tard, je dormais à poings fermés.

Chapitre 9

Le continent
des morts

Le petit matin du cinquième jour s'est déroulé sans accroc. Nous avons avalé notre déjeuner, plié nos tentes et remballé notre matériel en une heure et demie à peine.

Encore sous le choc de notre mésaventure du jour précédent, nous agissions comme des zombis, sans réfléchir, sans parler. Jusqu'à ce que mon frère brise le silence...

— Bien dormi, petit frère? J'espère que tu es en forme, parce que selon moi, l'expédition commence AUJOURD'HUI!

Mon frère était au comble de l'excitation. Prêt avant tout le monde, il courait de gauche à droite sur le site de camping pour nous aider à charger notre matériel au plus vite.

— Le lac Calme, la rivière Manitou, les méandres du marécage, tout ça, ce n'était RIEN ! C'était simplement la voie à prendre pour arriver ici, sur la Couane. Aujourd'hui, on va enfiler deux rapides de classe R-II, trois R-I, un R-III et un R-IV. Là, on va s'amuser !

— Du calme, Bozo, a tempéré Pier-Luc, que mon frère semblait agacer royalement avec son ton hystérique. Isabelle a déjà fait du canot, mais c'est une débutante dans les rapides. Toi, tu as Francis à transporter. Alourdi comme ça, impossible pour toi de manœuvrer normalement. Je ne pense pas qu'on va se lancer dans un R-IV. Certainement pas aujourd'hui, en tout cas !

— On verra, cousin, on verra…, a mystérieusement répondu mon frère.

Constatant que je ne comprenais rien aux classifications des rapides, Isabelle s'est rapprochée de moi. Elle m'a expliqué qu'ils sont divisés en six catégories, selon leur niveau de difficulté[2].

---

2. Dans la section *Canotage 101*, située à la fin du livre, il y a une charte de classification des rapides à la page 156. Je te suggère d'y jeter un coup d'œil pour comprendre les niveaux de difficulté.

— Ce n'est pas si compliqué, m'at-elle assuré. Pour donner une cote à un rapide, on tient compte de la force du courant, des obstacles et de la quantité de courants différents. Par exemple, un rapide classé R-I ne pose pratiquement aucun danger pour un canot. Il faut juste manœuvrer dans un courant assez fort. En revanche, un R-V est extrêmement difficile à franchir en canot. Ça peut même être fatal pour les canoteurs qui s'y engagent...

— Alors, un rapide R-VI, c'est quoi? Les chutes Niagara? ai-je demandé en riant pour me débarrasser du malaise qui m'envahissait.

— Un R-VI, c'est tout simplement mortel en canot.

— Arrête de faire peur au 6, Isa, est intervenu mon frère. Regarde-le, il est terrifié, blanc comme la mort, justement!

La mort... Pendant que Belle me décrivait les divers dangers que comportait la descente de rapides, je me suis souvenu d'une autre légende grecque que m'avait racontée Thomas à propos d'un fleuve souterrain, le Styx.

Les Grecs croyaient que les fiers guerriers morts au combat étaient promis à une seconde vie, sur ce qu'ils appelaient le continent des morts.

L'âme du guerrier devait se rendre jusqu'à un sinistre cours d'eau. Sur les berges ténébreuses du Styx, il fallait sonner une cloche afin que le passeur, nommé Charon, vienne le prendre dans sa barge pour le conduire sur le continent des morts. Charon était un personnage effrayant et impitoyable qui ne permettait à aucun mortel de visiter les morts et qui interdisait à ceux-ci de quitter leur île. Il devait mener l'âme des vaillants combattants là où il ne pourrait jamais accéder lui-même, puisqu'il était condamné à naviguer entre le monde des vivants et celui des morts.

Devant l'insouciance de mon frère à nous lancer dans des rapides plus dangereux les uns que les autres, je me suis mis à penser que la Couane, comme le Styx, pourrait bien nous mener du côté des ombres...

— JE NE VEUX PAS ALLER AU CONTINENT DES MORTS !

J'ai hurlé si brusquement et si fort qu'Alain, assis à peine un mètre devant moi, en a échappé sa pagaie.

— Es-tu fou ? m'a demandé mon frère. Pourquoi tu délires comme ça ? Et c'est quoi, ton histoire de mort ? Tu t'es encore réveillé en plein cauchemar, c'est ça ?

Intrigués par mon cri, Belle et mon cousin s'étaient rapprochés et avaient agrippé notre canot afin de comprendre ce qui se passait.

— Excusez-moi, j'étais perdu dans mes pensées. C'est juste que quand tu parles de descendre des rapides, Bozo, tu as l'air d'oublier que j'ai seulement une expérience de canot de lac, moi.

Son visage a changé d'expression et il m'a adressé un air satisfait qui signifiait : « Je te l'avais dit que tu n'y connaissais rien... »

Ignorant sa réaction, j'ai continué.

— En plus, tu nous as expliqué hier qu'avant chaque rapide, il faut aller à terre pour repérer à l'avance les courants et les rochers. Là, on va s'engager dans un rapide sans... Hé ! Ta pagaie ! Où est ta pagaie ?

— MERDE !

Il s'est retourné vers l'avant du canot pour constater qu'au fil de notre discussion, il avait négligé de rattraper sa

111

pagaie. Le courant s'était emballé et elle s'était éloignée graduellement. On la voyait prendre de plus en plus de vitesse, entrant dans un court mais tumultueux rapide. Si bien qu'à nos yeux, elle semblait disparaître et réapparaître, selon qu'elle était au creux ou sur la crête des vagues.

— Au bord! On fonce au bord! a hurlé Pier-Luc en se dégageant de nous d'un violent coup de pagaie. Allez, Isa, propulsion maximum!

La puissance combinée de leurs coups leur a permis de se déplacer rapidement et de regagner la berge juste avant les premiers remous.

De notre côté, nous étions figés par la peur. Notre situation semblait désespérée. Avec moi et tout le matériel à bord, notre canot était vraiment lourd, et par conséquent, pas très maniable. En plus, notre canoteur le plus expérimenté et le plus fort avait les mains vides. Le comble, c'est que même si Maude lui passait sa pagaie, il était impossible pour Alain de manœuvrer correctement puisqu'il s'était assis à l'avant. Or, un canot doit absolument être dirigé par le canoteur arrière.

Observant la puissance des courants augmenter et nous entraîner vers les embruns, j'imaginais ma rêverie se transformer en prophétie. Notre embarcation allait se fracasser contre les rochers et un tourbillon allait nous aspirer vers le fond, au pays des morts...

Tout à coup, je me suis ressaisi.

— Bozo, fais quelque chose!

— Maude, lance-moi ta pagaie!

— Alain, tu es en avant. Tu ne pourras pas...

— VIIITE!

Sans réfléchir, Maude a obéi et lui a lancé sa pagaie, trop contente de se débarrasser de l'obligation de ramener tout le monde à bon port.

Mon frère a alors pivoté sur son banc pour faire dos aux rapides rugissants. Il a ensuite bien appuyé ses genoux au fond de l'embarcation.

— Mais Alain, tu..., a tenté d'intervenir Maude.

— Taisez-vous et couchez-vous au fond du canot. Plus le centre de gravité sera bas, plus nous serons stables. En plus, j'ai besoin de voir où je m'en vais.

J'ai senti alors qu'il s'élançait complètement hors du canot, qui s'est incliné fortement à droite avant de reprendre son assiette. Il a répété cette manœuvre une autre fois et j'ai compris qu'il effectuait des appels désespérés pour faire pivoter le canot de façon à affronter la tourmente.

— À nous deux, maintenant! a-t-il grogné entre ses dents serrées.

Les yeux fermés, accroupi au fond du canot, j'étais un peu rassuré d'entendre une telle détermination dans sa voix. Peut-être allions-nous franchir le rapide sans nous mouiller, après tout.

Un instant plus tard, notre embarcation et ses trois passagers étaient soulevés dans les airs par la crête d'une vague avant de retomber dans son creux avec un bruit assourdissant. Une autre vague déferlante passa ensuite par-dessus les plats-bords pour nous tremper tous les trois. L'eau était glacée.

— Hiii-haa! a lancé mon grand Bozo de frère, qui se sentait comme un cow-boy chevauchant héroïquement un taureau sauvage en plein rodéo.

Puis, il y a eu une accalmie soudaine et je me suis redressé. C'est là que le canot a dévié en laissant entendre un genre de cri plaintif : le raclement d'un rocher sur la coque. Je la sentais se déformer sous la pression et une bosse s'est créée sous mon genou gauche avant de filer vers ma main. Je m'attendais à voir notre coquille de noix s'ouvrir à n'importe quel moment.

— Maudite roche pleureuse! Je ne l'avais pas vue, celle-là. Vous pouvez vous relever, c'est un plat, ici. Le calme après la tempête. On ramasse ma pagaie et on va rejoindre les autres, au bord.

La pagaie que mon frère avait échappée avant le rapide semblait nous attendre. Elle tournoyait en nous narguant, à trois mètres de Maude.

— On est vraiment chanceux que le contre-courant l'ait capturée et l'ait gardée juste ici. On aurait pu la chercher longtemps, a dit Maude en se penchant pour la prendre.

— Oui, elle aurait pu rester dans le petit rappel ou s'accrocher dans les branches, au milieu du rapide, a admis mon frère.

De mon côté, j'observais, fasciné, ce léger courant qui remontait la rivière. Comment la rivière pouvait-elle couler dans les deux sens? Je distinguais nettement l'eau couler vers l'aval avec puissance, emportée par la gravité. Puis, il y avait quelques remous et on pouvait voir l'eau changer de direction et se mettre à remonter vers l'amont.

Comme pour attiser davantage ma curiosité à l'égard de ce phénomène, j'ai aperçu une feuille de bouleau qui flottait sortir du courant principal et s'engager dans ce courant à contre-sens. Arrivée près d'une roche en saillie, elle a paru hésiter avant de reprendre le courant principal, puis de refaire ce même trajet. Captivé, je pensais : *Allez, vas-y ! Reprends le courant ! Tu ne vas pas pourrir ici.*

Semblant m'obéir, la feuille a fait un dernier tour avant de s'échapper pour de bon et de disparaître au loin.

Et moi, est-ce que j'allais rester là, à tourner en rond ? Est-ce que je passerais mon temps à attendre que ma Belle se décide à faire les premiers pas ou bien aurais-je le courage de foncer vers mon destin, quel qu'il soit ?

Justement, Isabelle et Pier-Luc avaient jailli de la forêt. Ils avaient emprunté le sentier de portage qui permet d'observer le rapide et de le contourner.

— Tiens, Francis, attrape mon écope ! m'a crié Isabelle.

Évidemment, comme je n'étais pas sorti complètement de ma méditation, je n'ai pas réagi assez vite et je l'ai reçue en plein visage.

— Encore perdu dans tes rêves, Le 6? Alain, tu l'as traumatisé avec ta technique de descente inversée!

— Non, je ne suis pas dans la lune, Isabelle. C'est juste que je pensais à toi.

Interloquée, Maude s'est retournée vivement vers moi avant de regarder en direction d'Isabelle, qui a baissé les yeux afin d'éviter les questions embarrassantes. Très mal à l'aise, elle cherchait quoi dire...

— Veux-tu bien nous expliquer pourquoi tu as laissé tomber ta pagaie dans l'eau avant de te lancer dans un R-II? a demandé Maude pour faire diversion.

— Impressionnant, non? Je suis comme ça, moi! J'aime bien me lancer dans des rapides inconnus dans un canot à l'envers alourdi au maximum...

— Bon, ok, tu es plus brave que moi... Mais tu es plus stupide aussi! a répondu Isabelle qui ne se rendait pas compte qu'elle se faisait narguer. Tu aurais pu la perdre, ta pagaie, et tu nous aurais tous mis dans le trouble!

— C'est ma faute, ai-je dit pour clarifier la situation. J'ai crié sans raison et en sursautant, Alain a échappé sa pagaie.

J'ai rapidement vidé l'eau qui stagnait au fond de notre embarcation et nous nous sommes élancés côte à côte sur une section calme de la rivière.

— C'est correct, Le 6. J'aurais dû la tenir plus fermement, de toute façon. J'observais le rapide, quand tu as gueulé ton histoire d'incontinent du Nord...

Pier-Luc pouffa de rire.

— Hein? Qui est incontinent? Tu fais pipi au lit, Le 6?

— Celui qui le dit, celui qui l'est! a rigolé Isabelle avant de plonger son écope dans l'eau et de la verser sur l'entrejambe du pantalon de mon cousin.

— Je ne parlais pas d'un incontinent, nono. Je parlais d'un continent légendaire et...

— Bon, les amis, c'est bien beau tout ça, mais on s'égare... On dérive, là, a fait remarquer Maude en riant pour nous ramener à l'ordre. Il faudrait bien regagner la rive, parce que le courant nous mène lentement vers notre deuxième rapide. Et c'est un R-III, si je me souviens bien.

— À droite, là-bas ! a dit Alain en montrant du doigt un petit sentier aménagé dans une forêt dense. On y va !

En moins d'une minute, les canots étaient hissés sur le rivage et nous suivions péniblement Alain, qui avait pris les devants en s'aventurant sur de gros rochers en bordure de la rivière. Il cherchait un point suffisamment surélevé pour nous permettre d'avoir une vue d'ensemble du rapide.

— Ce ne sera pas évident à franchir, ça ! a déclaré Pier-Luc. Regardez, on voit la veine principale, en plein milieu...

— Impossible à manquer, avec ses vagues en forme de V, a commenté Maude.

— Sauf que vous voyez ce qu'il y a au bout du courant, à la pointe du V ? a continué mon cousin.

— Un rappel ! Un bon, en plus, a lancé mon frère avant de se tourner vers moi. Ça, c'est dangereux. Plus dangereux qu'une chute, même !

Il m'a alors expliqué qu'après un gros obstacle immergé, l'eau forme un genre de tourbillon. Un tourbillon vertical! Un puissant contre-courant qui peut ramener une pagaie, une personne ou un canot au complet dans le gros remous, avant de l'éloigner et de le ramener, encore et encore. Une fois coincé là, on risque la noyade si le courant est fort. Son professeur de canot-camping avait surnommé les rappels les « machines à laver infernales » !

— Bon, c'est clair, ai-je réagi. On va contourner ce rapide. Il y a un sentier de portage exprès pour ça.

Choqués, Alain et Pier-Luc se sont tournés vers moi avant de dire d'une seule voix :

— Pas question !

— Au bout de la veine principale, à gauche, il y a un gros rocher, vous le voyez? a repris mon frère.

La question était stupide, car c'était le seul rocher saillant du rapide et il avait environ la taille d'un gros cabanon de jardin… Devant le silence de son auditoire, Alain a poursuivi :

— À la sortie du courant, pour éviter le rappel, on a juste à bifurquer à gauche pour se placer à l'abri, derrière le rocher. Il n'y a pratiquement aucun courant, là.

En prêtant attention, j'ai vu qu'il avait raison. Toute la rivière était ondulée de vagues et d'écume blanche, sauf à cet endroit. On aurait dit un petit étang bien calme au cœur du rapide.

— Oui, ça va fonctionner ! s'est exclamée Isabelle, qui avait bien suivi les explications. On pivote à gauche, on passe derrière la roche et on reprend le courant de la veine secondaire, près de l'autre rive. Ça devrait aller !

Sans rien me dire, sans même songer à me demander mon avis, ils ont tous tourné les talons et se sont mis à décharger les canots.

Comme si tout à coup, je n'existais plus.

C'était vraiment humiliant de constater qu'ils m'avaient tout simplement oublié là, au milieu de nulle part...

Chacun a hissé son lot de matériel sur son dos et l'a porté en silence sur le sentier jusqu'au point de mise à l'eau, à l'autre extrémité du rapide.

Ne sachant pas quoi faire, j'étais resté planté là et je les avais regardés faire le travail. C'est alors qu'Alain est venu me voir.

— Un canot vide est beaucoup plus manœuvrable, m'a-t-il expliqué d'entrée de jeu. En plus, en cas de dessalage, le matériel attaché aux barres transversales rend le canot pas mal plus difficile à récupérer. Prends ton sac et va jusqu'à la plage de cailloux. Tu nous attendras là-bas avec le matériel.

— Mais?

— Écoute. Je ne peux pas t'emmener dans ce rapide-là, tu comprends? Tu alourdirais trop le canot. Je ne peux pas non plus te prendre comme second pagayeur, tu n'as pas assez d'expérience. Pas pour un R-III avec un rappel, en tout cas. Si jamais on ratait notre manœuvre et que tu aboutissais dans le rappel, je m'en voudrais toute ma vie.

— C'est correct, je comprends.

J'esquissais un air un peu affligé pour faire mon brave, mais j'étais bien content qu'il ait pris cette décision. Je n'avais absolument pas envie d'aboutir dans une «machine à laver infernale»!

Je l'ai laissé s'éloigner en faisant mine de me rendre au lieu de rendez-vous.

Quand il a été suffisamment loin, je suis retourné sur le bord de l'eau pour voir comment ils allaient s'en tirer.

Bozo et Maude se sont élancés les premiers et ils ont suivi exactement le plan établi, en parfait contrôle de leur embarcation. La manœuvre n'a duré qu'une ou deux minutes, tout au plus.

Ensuite, ce fut au tour d'Isabelle et de Pier-Luc de braver la rivière. Ils ont facilement pris la veine principale avant de s'immobiliser à l'abri du rocher. Toutefois, quand ils sont sortis de cet abri, le courant fort a attrapé le devant de leur canot alors que l'arrière était encore dans le petit contre-courant. Ils ont donc fait une rotation complète, un 360° périlleux. Paniqués, ils tentaient de recouvrer le contrôle en effectuant des appels inefficaces qui faisaient tanguer dangereusement leur canot. Finalement, ils ont réussi à maîtriser le canot et ils ont péniblement gagné le courant secondaire pour sortir du rapide.

J'ai alors quitté mon observatoire pour aller rejoindre toute la bande sur la plage de cailloux.

— Wow! Ça, c'était du sport! s'est félicité Pier-Luc. Vous avez vu ça? Quand on s'est retrouvés face au courant et que le canot a penché à droite, j'ai vraiment cru qu'on dessalait.

— Oui, a ajouté Isabelle, moi aussi. Sauf que ce n'était pas amusant, pas amusant du tout! Regardez, je tremble encore!

— Bof, ça va passer, a répondu mon frère pour la rassurer. Vous avez réussi à vous en sortir. C'est ça qui compte.

Là, c'en était trop! Comment mon Bozo de grand frère pouvait-il être aussi irresponsable? Du haut de mon point de vue, j'avais clairement discerné la peur et la détresse sur le visage de ma Belle. Je ne l'avais pas digéré!

— Ah oui! C'est ça qui compte, les gars? Isabelle a failli se noyer, mais ça, c'est sans importance!

— Calme-toi, Le 6, m'a rétorqué mon cousin, l'air contrarié. Tu exagères, là! On est sains et saufs, non?

— Franchement, frérot, on ne va pas paniquer parce qu'ils ont failli chavirer! On est venus ici pour descendre des rapides et c'est ça qu'on fait.

— Tu es con, Alain! Et toi aussi, Pier-Luc! Vous avez eu votre dose d'adrénaline, tant mieux pour vous! Mais moi, j'ai bien vu qu'ils sont passés à deux doigts d'aller dans le rappel. Isabelle n'a pas à risquer sa vie pour une minute d'émotions fortes.

Maude restait muette, mais son regard pointé vers le sol m'indiquait qu'elle prenait conscience du danger qu'elle venait d'affronter.

Isabelle a ramassé son dîner et elle est partie de son côté sans rien dire à personne.

Son départ a causé un grand malaise et un long silence s'est installé. Pour une rare fois, un silence jouait en ma faveur. Je me sentais comme monsieur Louis, et j'ai pris plaisir à étirer ce silence pour forcer mon frère et mon cousin à réfléchir.

— Bon, ok! J'avoue qu'on aurait dû l'éviter, ce rapide-là, a dit Pier-Luc.

— Oui, tu as raison, a ajouté Maude. À quoi ça sert de descendre du canot et d'observer les rapides si c'est pour se lancer dans la gueule du loup ensuite?

— Ça va, ça va, j'ai compris, a concédé Alain. Plus de manœuvre devant un rappel, c'est clair. On est seulement là pour s'amuser, après tout.

Satisfait de constater qu'ils avaient enfin réalisé l'ampleur de leur bêtise, je leur ai tourné le dos et je suis parti sur le sentier de portage, à la recherche d'Isabelle.

Chapitre 10
Se jeter à l'eau

Mon sac de dîner à la main, je me suis enfoncé dans la forêt. Comme le sentier s'avançait dans les bois sans s'éloigner de la rivière, le grondement incessant des rapides emplissait l'espace sonore. Attiré par le torrent, j'ai quitté le sentier et j'ai marché à travers les broussailles pour me poster sous un grand pin qui avait bravement poussé sur la berge de la rivière en furie.

— Francis! FRANCIS!

Intrigué, je me suis retourné. Comme il m'était impossible de déterminer la provenance du son dans le vacarme rugissant, je fouillais du regard.

— Ohé! Viens me rejoindre. Je suis en haut! m'a crié ma Belle en laissant tomber quelques miettes de pain sur ma tête pour attirer mon attention.

J'ai alors levé les yeux et je l'ai aperçue. Elle avait grimpé au pin géant et s'était installée sur une grosse branche, au moins deux mètres au-dessus de moi.

L'arbre, sans doute plusieurs fois centenaire, était magnifique, tout comme elle.

Ses énormes branches semblaient avoir été volontairement disposées de façon à faciliter l'ascension.

Quelques secondes plus tard, j'étais perché dans l'arbre, à côté d'elle.

— Tu sais, je ne pense pas que ton frère et Pier-Luc voulaient me mettre en danger. Ils n'en étaient pas conscients, c'est tout.

— Tu peux le dire, qu'ils étaient inconscients. Ils ont agi comme de vrais innocents, en fait ! Après ton départ, on a continué à discuter et ils ont compris leur bêtise.

— Tu étais vraiment en colère tout à l'heure. Je ne t'avais jamais vu comme ça.

— Quand j'ai réalisé que tu étais en danger, mon estomac s'est tordu. J'aurais voulu t'aider, mais je me sentais tellement impuissant... C'était insupportable!

— Pier-Luc aussi était en danger.

— Oui, mais je ne suis pas amoureux de Pier-Luc...

Ça y était! Je m'étais enfin jeté à l'eau! Je ne pouvais pas être plus clair. J'en avais marre de me retenir, marre des sous-entendus. Sauf qu'en me jetant à l'eau, j'avais choisi de me laisser emporter par le courant et je ne contrôlais plus rien...

Étourdi par mon audace, je sentais les battements de mon cœur résonner dans toutes les fibres de mon corps.

Po-pom, po-pom, po-pom...

Isabelle m'a lancé un sourire ravageur avant de se tourner vers le tronc de l'arbre en pointant du doigt l'écorce entaillée.

— Regarde, nous ne sommes pas les premiers à grimper jusqu'ici.

En observant attentivement, on pouvait discerner qu'un cœur avait été gravé longtemps auparavant. Quelques mots étaient inscrits à l'intérieur. En plissant les yeux, j'ai réussi à lire dans l'écorce de l'arbre blessé: «André & Gisèle, 1967».

— Je me demande si ces deux-là sont encore amoureux, après toutes ces années, a-t-elle murmuré, pensive.

— Je ne sais pas... Je m'en fous! ai-je répliqué. Moi, ce qui m'intéresse, c'est le moment présent. C'est d'être ici, avec toi.

Il faut croire que j'avais choisi les bons mots, parce qu'elle s'est alors penchée vers moi en fermant les yeux. Nous nous sommes embrassés. Long-temps. Moment espéré. Moment magique.

Je n'entendais plus mon cœur. Il semblait s'être arrêté. Tout comme le temps, d'ailleurs.

Nous avons ensuite dévoré notre dîner rapidement afin de rejoindre les autres avant qu'ils ne s'inquiètent et se décident à venir nous chercher.

Maude, qui semblait lire dans les sentiments de ma Belle comme dans un livre ouvert, a tout de suite remarqué qu'il s'était passé quelque chose.

— Ça va, Isabelle? Tu as les yeux plus brillants que d'habitude, toi. Tu n'aurais pas quelque chose à confier à ton amie, par hasard?

— Non, tout va bien. Le 6 et moi, on a trouvé un arbre GÉANT! On peut y grimper vraiment facilement. On a dîné assis sur une branche, perchés au-dessus de la rivière. C'était très beau.

— Et tu veux me faire croire que c'est un arbre qui t'a mis dans cet état? a ajouté la copine de mon frère en souriant pour nous montrer qu'elle voyait clair dans notre jeu.

— Bon, on ne campera pas ici, quand même! ai-je lancé à tous pour changer de sujet. Nous sommes venus pour faire du canot, alors allons-y!

Chapitre 11

Chasse-galerie
et montagnes russes

L'après-midi s'annonçait mouvementé. Nous n'avions que trois kilomètres à parcourir, mais ils allaient être éprouvants!

Assis au fond du canot, je me laissais transporter en observant la carte.

— Trois R-I, un R-II et un R-IV! On ne va pas s'ennuyer!

— C'est vrai, m'a répondu Maude. Et l'action va commencer bientôt. Regarde l'eau frémir devant nous. R-I à 100 mètres, tout le monde! Tenez-vous prêts!

En m'étirant le cou pour voir devant, je me suis dit que cette fois, Maude et

Alain ne jouaient pas avec nos vies. Ce R-I n'était qu'une accélération subite et marquée du courant principal.

— Allez, on pousse la machine au maximum! a crié Alain avec bonheur. On va battre un record de vitesse.

— Alain, maintiens-nous à gauche, a indiqué Maude. Le seul obstacle en vue est une roche pleureuse un peu à droite, en sortant du courant.

Sur ces mots, elle a émis un petit grognement en crispant ses muscles pour pousser de toutes ses forces, propulsant l'embarcation à une vitesse surprenante.

C'était grisant! Les mouvements simultanés des deux pagayeurs lançaient le canot en avant par à-coups, un peu plus vite chaque fois, le faisant même s'élever légèrement en planant sur les vaguelettes.

En regardant les berges, je voyais défiler épinettes et broussailles à une vitesse telle que j'avais l'impression d'être à bord d'une voiture qui fonce sur une autoroute déserte.

Emporté par une sorte d'euphorie, mon frère s'est mis à crier:

— Acabrisss! Acabraaa! Acabra-mmm! Satan, Satan, fais-nous monter jusqu'au firmament. Par la force de Belzébuth, nous sommes assis dans un canot volant! Ça vous tente-t'y d'courir la chasse-galerie?

— On décolle! a ajouté Maude en tirant sur sa pagaie pour jouer le jeu d'Alain, qui nous entraînait dans la plus célèbre des légendes québécoises: la chasse-galerie.

Notre embarcation fendait l'eau comme une flèche fend l'air.

Cheveux au vent, je me demandais qui avait bien pu inventer cette histoire de bûcherons qui se déplacent dans le ciel à bord de leur gigantesque canot volant.

Dans la légende, des hommes partis bûcher étaient loin de chez eux et ils s'ennuyaient de leur parenté. La veille de Noël, ils ont prié le Seigneur de les mener jusqu'à leur famille. Sans succès. En désespoir de cause, ils ont décidé d'invoquer le diable et l'ont supplié d'utiliser sa magie pour leur venir en aide.

Au milieu d'un grand nuage de fumée bleue, le malin leur est apparu dans toute sa laideur.

135

Ils lui ont demandé d'envoûter leur rabaska – un genre de grand canot – de façon à le transformer en un bateau volant qui les mènerait rapidement chez eux.

Trop heureux de voir des hommes aussi désespérés le supplier, le vilain a accepté. Mais il a posé ses conditions. S'ils réussissaient à faire le trajet aller-retour avant le lever du soleil, sans blasphémer et sans toucher de crucifix, il les laisserait en paix. Sauf que si l'une ou l'autre des conditions n'était pas respectée, ils cesseraient tous de vivre sur-le-champ et leur âme lui appartiendrait !

Le diable connaissait les traditions des Fêtes. Il se doutait bien que les hommes seraient invités à boire un coup, ce qui allait nuire à leur concentration...

Les bûcherons ont été très sérieux à l'aller. Cependant, sur le chemin du retour, affaiblis par la fatigue et engourdis par l'alcool, ils ont relâché leur vigilance. Si bien que le rabaska louvoyait dangereusement dans le ciel, frôlant la cime des arbres.

C'est en passant au-dessus d'un petit village que le drame s'est produit. Voyant que les hommes étaient sur le point de gagner leur pari malgré tout, le diable a soufflé une brise glacée sur l'équipage. La bourrasque infernale les a fait dévier et les a envoyés directement sur le clocher de l'église, renversant au passage le crucifix qui trônait au sommet…

SCRRRRACCCHTT !

Tout à coup, quelque chose a freiné notre élan. Comme si une force invisible et maléfique venait de stopper le canot d'un coup sec. La décélération soudaine a pris Maude par surprise et elle a basculé vers l'avant, sa main heurtant violemment le canot dans un bruit sourd.

Crispée par la douleur qui irradiait tout son bras, elle a échappé un grand cri avant de se retourner pour s'excuser.

— Désolée, je n'avais pas vu la grosse branche immergée !

— Ça va, a répondu mon frère d'une voix inquiète. Nous sommes passés et le canot est intact. Et ta main ? Ça a cogné fort, il me semble…

— Ne t'inquiète pas, je pense que ce n'est pas cassé. Mais je ne pourrai plus pagayer. Je vais juste plonger ma main dans l'eau froide pour limiter l'enflure.

Heureusement, on a un pagayeur sup-
pléant. On change de place, Cis ?

Je n'allais certainement pas refuser...

○

La rivière s'était calmée et nous avons
arrimé nos deux embarcations avant de
nous laisser doucement porter par le
courant. Dans le canot voisin, Belle était
juste à côté de moi et j'ai discrètement
posé ma main sur la sienne. À mon plus
grand bonheur, elle n'a pas cherché à la
retirer.

Peu de temps après, nous avons
franchi deux autres R-I à vive allure.

J'adorais pagayer dans le courant et
défier la rivière. Être aux premières loges.
Ça n'avait rien à voir avec la sensation
de se faire transporter par les autres,
assis au milieu du canot.

Après, nous avons accosté près d'un
sentier de portage afin d'aller observer
un rapide qui semblait plus menaçant
que les autres.

Il était impressionnant. Il me faisait
penser aux montagnes russes Le Goliath,
à La Ronde !

Le grondement du rapide, la forme des vagues, tout me rappelait la fois où j'avais osé embarquer dans ce célèbre manège extrême.

C'était l'été précédent. La mère de Carlos et la mienne s'étaient entendues pour faire une sortie familiale commune : une visite à La Ronde.

Cette journée est bien gravée dans ma mémoire, car c'était indéniablement celle où j'avais ressenti le plus d'émotions et de sensations contradictoires (c'était avant d'embrasser ma Belle !).

En effet, j'ai eu très chaud (au soleil, dans la Grande Roue) et très froid (tout mouillé, dans la Pitoune). J'ai aussi ri aux larmes (en entendant ma mère hurler de terreur dans la Maison Hantée) et eu l'estomac à l'envers (dans un immense manège rotatif dont j'ai oublié le nom). Finalement, j'ai dégusté un bon repas (trois hot dogs au ketchup et une boisson gazeuse) et j'ai vomi (vraiment, ce manège rotatif n'était pas fait pour moi !).

— Sors de la lune, petit frère. On décharge le canot. Ce rapide-là, il est fait pour nous ! Pas de seuil, pas de rappel, pas de roche, pas d'arbre immergé… Juste un courant d'enfer et des vagues énormes. On va décoller !

— Tu… Tu veux y aller avec moi ?

Je n'arrivais pas à y croire. Mon frère me proposait d'être son coéquipier pour descendre un rapide. Un beau R-II, en plus !

— Maude est hors service, alors je n'ai pas le choix, a répondu Alain en souriant. Je blague. Sérieusement, tu es prêt. Tu pagayes de mieux en mieux. En plus, on ne risque pas d'échouer au « continent des morts », comme tu dis… Chacun a sa veste de flottaison. La pire chose qui puisse nous arriver, c'est de chavirer, de boire une bonne tasse d'eau bien fraîche et de nager jusqu'au bord…

Il semblait avoir raison, car on pouvait voir qu'après le rapide, c'était le calme plat. La rivière s'élargissait même considérablement pour former un petit lac.

— Bon, on y va ! a lancé Isabelle par-dessus son épaule en s'installant à l'avant de son canot. Laissez-nous le temps de faire le rapide, puis venez nous rejoindre à l'autre bout. On vous fera signe quand ce sera votre tour.

Quelques minutes plus tard, elle agitait sa pagaie pour nous indiquer que c'était à nous.

— Bon, là, tu propulses au maximum, Le 6. Tu ne ralentis pas... Tu n'arrêtes pas, même dans les vagues. D'accord ?

Une note d'inquiétude pointait dans la voix de mon frère, ce qui m'agaçait profondément.

— Ok ! Ok ! Mais pourquoi ? ai-je demandé en poussant de toutes mes forces sur ma pagaie. Tu viens de me dire que ce rapide est sans danger. Si on se laisse porter par le courant, ça change quoi ?

— Lève les yeux et regarde les deux premières vagues. Elles sont énormes, mais ce n'est pas ça, le problème. À part leur grosseur, tu ne remarques rien ? Elles sont de forme pyramidale. Si on arrive sans vitesse dessus, on va dévier, pivoter et chavirer avant même de s'engager dans le gros du rapide. Je n'ai vraiment pas envie de nager là-dedans, moi. Il faut atteindre une bonne vitesse pour pouvoir monter sur la vague et garder le cap vers l'aval.

En entendant ces mots, j'ai senti l'adrénaline envahir mon corps. J'ai souri, resserré mon emprise sur ma pagaie et j'ai foncé.

Je n'avais pas peur. J'étais plutôt animé d'une détermination inébranlable. Nous allions réussir, je le sentais dans chaque fibre de mon corps.

Nous avons grimpé sur la première vague avec tant de vélocité que notre embarcation n'est pas redescendue de l'autre côté de la crête. Nous nous sommes plutôt élancés dans les airs et nous avons plané jusqu'à la vague suivante, que la proue de notre canot a fendue dans un bruit de tonnerre.

Ensuite, c'était presque trop facile. Nous avons chevauché les vagues comme des pros avant de sortir du rapide et de rejoindre nos amis sur la berge.

— Bozo, c'était super !

— Tu as aimé ça, petit frère ?

— J'ai a-do-ré !

— Puisque c'est comme ça, on recommence !

— On peut faire ça ?

— Pourquoi pas ? On n'a qu'à mettre le canot sur nos épaules et à remonter le sentier de portage.

Cet après-midi-là, j'ai descendu le rapide cinq fois! Trois fois avec Alain, une fois avec Pier-Luc et une fois avec ma Belle.

C'est la première et la seule fois de ma vie où j'ai pu faire plusieurs tours de montagnes russes d'affilée sans avoir à subir une seule file d'attente!

Par la suite, nous avons traversé le petit lac avant de portager le canot le long d'un rapide R-IV et d'établir notre campement pour la nuit tout près de celui-ci.

Le soleil était encore haut dans le ciel et je suis allé m'étendre sur une immense roche plate pour me remettre de mes émotions.

Je vivais un moment d'allégresse et j'en avais conscience. Je le savourais lentement, comme on se délecte d'un morceau de sucre d'érable.

Si j'étais aussi heureux à cet instant précis, c'est que j'avais le sentiment de vivre pleinement ma vie. En plus, j'étais amoureux.

Je n'étais plus un boulet à traîner ou un enfant à surveiller, mais un canoteur respecté. Je venais d'avoir toute une promotion!

Chapitre 12

On rentre

Le dernier matin, Isabelle et moi, nous nous sommes réveillés aux aurores. L'astre du jour se levait tranquillement sur les montagnes tandis que les nuages prenaient progressivement possession du ciel.

— Regarde. C'est notre premier lever de soleil.

— Oui. C'est beau de voir les nuages s'illuminer et afficher toutes les couleurs de l'arc-en-ciel, m'a répondu ma Belle en mangeant son gruau.

— Tout ça est très romantique, les amoureux, nous a discrètement chuchoté Maude avec un regard complice… Mais si vous enlevez vos lunettes roses, vous allez voir que les nuages sont surtout gris foncé. Presque noirs, en fait !

— Le vent se lève. On lève les pattes ! a annoncé mon cousin. Je n'ai pas envie de faire mes derniers kilomètres de canot sous la pluie, moi. Allez, les lunatiques, grouillez-vous !

Pier-Luc avait raison et nous nous sommes donc hâtés de remballer notre équipement pour une dernière fois avant de nous élancer sur l'eau.

— Désolée de ne pas pouvoir faire ma part et prendre la relève, s'est excusée Maude. Ma main droite est toujours enflée et engourdie. Je ne peux même pas m'en servir pour tenir quoi que ce soit. Pour pagayer, ce n'est pas l'idéal...

— Ta blessure est peut-être plus grave qu'on le pense, finalement, a dit mon frère. Demain, je vais t'accompagner à la clinique pour en avoir le cœur net.

En maintenant une bonne cadence et sans la moindre pause, nous sommes arrivés au bout de notre parcours après trois heures d'efforts intenses. J'avais une crampe dans le dos et l'épaule droite plutôt mal en point. Mais je tenais à prouver à mon frère que j'étais digne de faire équipe avec lui. J'ai donc serré les dents et je me suis abstenu de me plaindre.

Je me suis même offert pour accompagner Pier-Luc dans sa marche vers la voiture restée au point de mise à l'eau.

— C'est correct, Le 6, je vais y aller, a tranché mon frère. Pier-Luc va avoir besoin de moi pour installer la roue de secours.

— Dépêchez-vous, les gars, parce qu'on dirait que les nuages sont sur le point d'exploser ! les a pressés Maude.

Quelques minutes plus tard, la pluie a commencé et nous nous sommes vite réfugiés sous nos canots. Étendu par terre sous notre embarcation retournée, je serrais ma nouvelle copine tout contre moi, soi-disant pour éviter que la pluie ne nous atteigne…

C'était misérablement inconfortable et pourtant, je n'aurais voulu échanger de place avec personne d'autre sur Terre. J'étais si bien que j'ai été vraiment déçu d'entendre le son du moteur s'approcher quand Alain et Pier-Luc sont venus nous chercher.

Nous étions tous trempés jusqu'aux os.

— À la maison, chauffeur ! a ordonné Bozo en prenant un air faussement hautain. J'en ai assez de vivre dans ces conditions rudimentaires. Vivement le confort du manoir !

— Mais de quoi vous plaignez-vous, cher comte ? C'était mé-mo-rable ! ai-je renchéri sur le même ton. On ne pourra pas dire qu'on s'est ennuyés, les amis. Je me demande quel sera mon meilleur souvenir : me faire vider une écope d'eau glacée sur la tête, me faire traiter de jambon et de vieux bacon fumé, me retrouver prisonnier de la vase, me perdre dans un marais ou risquer ma vie en descendant un rapide avec une seule pagaie ? Le choix est difficile...

— Tu n'as pas à te plaindre, toi ! a répondu Maude. Ton imperméable fumé t'a mis à l'abri des vampires du marais et...

— Cessez donc de pleurnicher, les bébés gâtés ! a répliqué Isabelle. On a eu une expédition formidable. Sans blague, je vais m'en souvenir toute ma vie, je pense.

— Nous aussi, Isabelle, nous aussi! a rétorqué Alain. On plaisante, c'est tout.

— La seule chose qui m'a réellement manqué, c'est une bouteille de shampoing, a ajouté Maude.

— En rentrant, la première chose que je fais, c'est prendre une looooongue douche chaude, a annoncé Isabelle. Vous rendez-vous compte qu'on ne s'est pas lavés comme il faut depuis cinq jours? C'est sûrement illégal d'être aussi sale. Mes ongles sont noircis et mes cheveux sont collants. Je me sens laide à faire peur.

Je me suis tourné vers elle et je dois bien reconnaître qu'elle n'était pas à son meilleur. Cependant, je n'aurais jamais affirmé qu'elle était laide, car elle m'attirait comme un aimant! En fait, si nous n'avions pas été entassés à cinq dans un vieux tacot, je l'aurais sans doute embrassée sur-le-champ.

Mais aucune chance que j'ose poser un tel geste, surtout devant mon frère et mon cousin!

Pier-Luc et Alain se sont relayés derrière le volant tout l'après-midi pour nous ramener à la civilisation. Sur la banquette arrière, nous avons somnolé tout le long du voyage, épuisés.

Épilogue

De retour à la maison, j'ai repris une vie normale. Une vie «normale mais améliorée», en fait...

Questionné par mes parents, Alain a presque tout raconté de notre expédition, en évitant comme il se doit de s'étendre sur tout ce qui aurait pu les inquiéter inutilement...

Ce qui m'a surpris, par contre, c'était de l'entendre affirmer que je n'avais pas été un poids pour lui. Il a même précisé que j'avais été fort utile quand Maude s'était blessée à la main.

Une semaine après notre retour, nous avons organisé un souper pour nous remémorer nos aventures... et mésaventures!

— Comme ça, tu as fait «connaissance» avec ma demi-sœur, Le 6? m'a interpellé Pier-Luc d'entrée de jeu, avant d'avaler sa première bouchée de pizza en riant.

Aïe! Il commençait mal, ce souper. Isabelle et moi, on avait décidé d'essayer de demeurer discrets. Maude avait promis de garder le silence et on ne voulait rien dévoiler à nos familles pour l'instant.

En conséquence, je n'étais absolument pas prêt à faire face à de telles allusions. J'ai senti une bouffée de chaleur me monter aux joues et je suis devenu rouge comme une tomate.

— Écoute, Francis, tu ne pensais pas être subtil, quand même? Tu as téléphoné à la maison tous les soirs depuis notre retour et...

— Ah, arrête, Pier-Luc! Oui, il s'est passé quelque chose entre Francis et moi en camping. Et alors? Ça s'est passé entre lui et moi, justement. Mêle-toi donc de tes affaires!

La réplique qu'Isabelle a lancée sur un ton sans appel a cloué le bec de Pier-Luc de façon définitive. Décidément, elle a du caractère, ma copine!

Alain, qui ignorait encore tout (merci à Maude), a changé d'air. Il m'a dévisagé bêtement pendant un instant avant de se raviser et de me faire un clin d'œil.

— Mon frère n'est plus un enfant, Pier-Luc. Il faudra bien qu'on se fasse à l'idée. Pour ma part, tant que tu arrives à nous sortir des marécages, tu peux sortir avec qui tu veux! Ha! Ha! Ha! Chacun sa vie, après tout.

Avais-je rêvé ou mon frère venait réellement de m'épauler au lieu de se moquer de moi? Le doute n'était plus permis : mon existence avait vraiment changé depuis un mois...

— Ah, oui! On voulait vous dire, Pier-Luc et moi... À la bibliothèque, on est tombés sur un livre génial! C'est un répertoire de toutes les rivières canotables du Québec. Nous en avons déniché une démente!

— Complètement! Ce qu'on vous propose, c'est de partir à la fin juillet pour une expédition d'une dizaine de jours avec...

Mais déjà, je ne les écoutais plus. J'étais dans la lune, comme d'habitude.

Je songeais à ma nouvelle liberté, à mon entrée imminente à l'école secondaire...

Puis mon regard s'est posé sur ma Belle et je me suis dit que ma vie – ma *vraie* vie – venait juste de commencer...

Canotage 101

1. Les coups de pagaie
(par Francis, canoteur en herbe !)

Propulsion C'est le coup le plus simple. Il suffit de pagayer pour faire avancer le canot. Habituellement, la personne à l'avant n'effectue que des propulsions. Comme j'aime bien diriger en faisant toutes sortes de manœuvres, je préfère nettement être en arrière !

Coup en J Effectué par la personne située à l'arrière du canot, ce mouvement combine propulsion et léger virage.

Coup semi-circulaire Il s'agit de propulser tout en effectuant un demi-cercle avec la pagaie pour faire pivoter le canot dans le sens contraire du coup en J.

Appel C'est plutôt périlleux! Il faut s'élancer sur le côté, dans le vide, et planter sa pagaie dans l'eau. Ensuite, on la tire vers soi rapidement en faisant passer l'eau sous le canot. Quand c'est réussi, l'effet est spectaculaire, car l'embarcation pivote rapidement. Quand c'est raté, l'effet est encore plus spectaculaire: on dessale (on tombe à l'eau) et le canot se retourne!

Écart Il faut planter sa pagaie verticalement dans l'eau, sur le bord du canot, et pousser l'eau en éloignant la pagaie. Ce coup est mon meilleur. Je l'ai fait tellement fort que Thomas, qui ne s'y attendait pas, est plongé tête première dans le lac. Son père l'a taquiné toute la semaine avec ça!

2. Charte de classification des rapides *(telle que trouvée dans le livre de mon grand frère)*

R-I Le courant est modéré et la navigation est facile et accessible à toutes les embarcations.

R-II La navigation est compliquée par quelques obstacles généralement sans danger, faciles à repérer et à éviter. Le courant est assez fort.

R-III La navigation est difficile. Il est nécessaire de procéder à un repérage préalable des obstacles et des courants depuis la rive.

R-IV La navigation est très difficile et réservée aux canoteurs d'expérience. Les vagues sont hautes et irrégulières. Les courants sont très puissants. Il est absolument indispensable de procéder à une minutieuse inspection du parcours à suivre à partir du rivage.

R-V La navigation est extrêmement difficile. C'est à la limite de ce que peuvent franchir les canoteurs experts, même en prenant toutes les précautions.

R-VI Infranchissable en canot. Toutes les difficultés sont poussées à l'extrême. S'y aventurer constitue un risque pour la vie.

Table
des chapitres

Jean-François Roberge

Véritable passionné du Québec ainsi que de ses enfants, Jean-François Roberge est enseignant au primaire. Depuis plus de dix ans, ses élèves du troisième cycle sont exposés sur une base quotidienne aux délires créatifs de leur singulier professeur. Épris par tout ce qui touche à l'éducation, il a siégé au Conseil supérieur de l'éducation, créé diverses activités pédagogiques et encadré une dizaine de stagiaires en enseignement, en plus d'être chroniqueur invité pour différentes émissions de télévision.

Derniers titres parus dans la
Collection Papillon

Illustration : Gabrielle Grimard